Oldenbourg Interpretation
Band 106

Oldenbourg Interpretationen
Herausgegeben von
Klaus-Michael Bogdal und Clemens Kammler

begründet von
Rupert Hirschenauer (†) und Albrecht Weber

Band 106

Theodor Fontane

Irrungen, Wirrungen

Interpretation von Reinhard Wilczek

Oldenbourg

Zitate sind halbfett gekennzeichnet.

Die Seitenzahlen in Klammern beziehen sich auf folgende Ausgaben:
Theodor Fontane: Irrungen, Wirrungen. Stuttgart 1994 (RUB 8971).
Als Textgrundlage werden zusätzlich hinzugezogen: Theodor Fontane: Irrungen, Wirrungen. München[7] 2004 (dtv 12615) und Theodor Fontane: Irrungen, Wirrungen. Berlin[5] 2004 (AtV 5263). Alle drei Texte werden stets zusammen zitiert in der Form: (IW, Seitenzahl Reclam-Ausgabe / Seitenzahl dtv-Ausgabe / Seitenzahl AtV-Ausgabe).

Bibliografische Information der Deutschen Bibliothek:
Die Deutsche Bibliothek verzeichnet diese Publikation in der Deutschen Nationalbibliografie; detaillierte bibliografische Daten sind im Internet über <http://dnb.ddb.de> abrufbar.

Das Papier ist aus chlorfrei gebleichtem Zellstoff hergestellt, ist säurefrei und recyclingfähig.

Bei den Zitaten, Literaturangaben und Materialien im Anhang ist die neue Rechtschreibung noch nicht berücksichtigt.

1. Auflage 2006
Druck 10 09 08 07 06
Die letzte Zahl bezeichnet das Jahr des Drucks.

Umschlagkonzept: Mendell & Oberer, München
Umschlag: Stefanie Bruttel
Umschlagbild: © IFA-Bilderteam, Ottobrunn/München; Fotografin: Birgit Koch
Typografisches Gesamtkonzept: Gorbach GmbH, Buchendorf
Lektorat: Ruth Bornefeld, Birgit Kaltenegger
Herstellung: Verlagsservice Dr. Helmut Neuberger
& Karl Schaumann GmbH, Heimstetten
Satz: jürgen ullrich typosatz, Nördlingen
Druck und Bindung: Appl Druck, Wemding

ISBN: 3-486-**00106**-X
ISBN: 978-3-637-**00106**-0 (ab 1.1.2007)

Inhalt

1 Eine Liaison als Paradigma moderner Gesellschaftskonflikte?

Fontanes 1887 erstmals als Fortsetzungsroman in der ***Vossischen Zeitung*** publizierte Liebesgeschichte der Kunststickerin Lene Nimptsch und des adeligen Offiziers Botho von Rienäcker ist mittlerweile weit über ein Jahrhundert alt und entstammt einer Epoche, mit der heutige Leserinnen und Leser in der Regel nur noch wenige Berührungspunkte haben. Die damals ›nicht standesgemäße‹ Liebesbeziehung zwischen einer einfachen Arbeiterin und einem adeligen Gardeoffizier würde die heutige Gesellschaft kaum noch als Skandal registrieren. Wenn man die Lebenswirklichkeit einer Epoche betrachtet, in der beispielsweise der norwegische Thronfolger Haakon eine Frau mit einem unehelichen Kind geheiratet oder eine Prinzessin von Wales zahlreiche außereheliche Beziehungen in aller Öffentlichkeit unterhalten hat, schrumpft die ›chronique scandaleuse‹ in Fontanes Roman heute auf das Format einer gesellschaftlichen Fußnote von geringem Aufmerksamkeitswert.

In der damaligen Zeit freilich gab FONTANES *IRRUNGEN, WIRRUNGEN* Anlass für hitzige Diskussionen. Am bekanntesten ist wohl der Ausfall eines Redakteurs der ***Vossischen Zeitung*** geworden, der empört fragte, wann die **gräßliche Hurengeschichte**[1] denn endlich ein Ende habe, und FONTANE selbst spricht nicht ohne Selbstironie von einer **Schweine-Novelle.**[2] Der historisierende Nachvollzug dieser Werturteile ist allerdings weniger aufschlussreich als der kritische Blick auf die gesellschaftlichen Mechanismen und Widersprüche, die hinter diesen Werthaltungen sichtbar werden. Wenngleich auch die moralinsauren Sittlichkeitsmaßstäbe des Wilhelminischen Zeitalters heute einer großen Freizügigkeit gewichen sind, wird man kaum behaupten können, dass es in unserer Epoche keine gesellschaftlichen Zwänge oder Normierungen gebe. Im Gegenteil, auch heute sieht sich das Individuum mit seinen persönlichen Glücksansprüchen nicht selten im Widerspruch zu den gesellschaftlich vorgegebenen Spielregeln. Im späten 19. wie auch im frühen 21. Jahrhundert konturieren sich dieselben Antagonismen: Die Glückskonzepte des Subjekts kollidieren oftmals mit den Anforderungen der Gesellschaft und des Staates – damals wie heute.

Das Konfliktfeld ist das gleiche geblieben, geändert haben sich dagegen die Streitthemen. Man wird sogar behaupten können, dass die Schärfe der Auseinandersetzung und die Kluft des Gegensatzes größer geworden sind: Heute geht es um gleichgeschlechtliche Beziehungen, um die Integration von großen Migrantenströmen, um den gen-manipulatorischen oder schönheits-chirurgischen Angriff auf die Würde des Menschen, um Sterbehilfe, um berufliche Perspektivlosigkeit und darum, wie man sich als Einzelner dem Würgegriff der kapitalistischen Erlebnis- und Freizeitgesellschaft entziehen kann, die mit ihren krakenartigen Armen nicht selten tief in den Wertehaushalt der Menschen einzugreifen und diesen manipulatorisch zu beeinflussen versucht. Auch hier zeigen sich – wenngleich in anderen gesellschaftlichen Konstellationen – jene Auseinandersetzungen und Spannungen, die schon für den Verlauf der Liebesbeziehung zwischen Botho und Lene prägend waren. Der authentischen Lebens- und Gefühlswelt Einzelner stehen die abweichenden Wertmaßstäbe einer gesellschaftlichen Mehrheit gegenüber, die ihr Tun kritisch beurteilt oder gar zu verhindern sucht.

So führen heute etwa die in den Medien propagierten Schönheitsideale dazu, dass sich immer mehr Menschen medizinischen Eingriffen unterziehen, um ihr Aussehen zu verändern. Eltern, die ihrer Tochter zum 18. Geburtstag eine Schönheitsoperation schenken, sind inzwischen keine Seltenheit mehr. Bekannt geworden ist das Beispiel der im Jahr 2005 38-jährigen Engländerin Cindy Jackson, die nicht weniger als 38 chirurgische Eingriffe an sich hat durchführen lassen, um, wie sie glaubt, makellos schön zu werden.[3] Andere Menschen, die sich diesen ästhetischen Zwängen widersetzen, können schnell zu den Verlierern gehören. Besonders hart ist der Verdrängungswettbewerb in mediennahen Bereichen wie Film, Fernsehen und Musikindustrie; wer hier nicht den neuen Trends und künstlich kreierten Idealen folgen will, ist schnell aus dem Geschäft. Gerade Heranwachsende reagieren, was ihre Lebensführung angeht, besonders sensibel auf derartige Anpassungszwänge.

Man sieht also, dass die gesellschaftliche Problematik, die hinter dieser Liebesgeschichte steht, von nahezu unverminderter Aktualität und Virulenz ist. Fontanes Sittengemälde aus der Wilhelminischen Epoche mag viele Zeitgenossen heute nicht mehr interessieren und gerade heutigen Schülern antiquiert und altmodisch vorkommen, weil sich die soziale Mobilität durchgreifend verändert hat, aber das dem Romangeschehen zugrunde liegende Konfliktmodell ist exemplarisch für die Zivilisationsgesellschaft der Moderne und ihre Verwerfungen. Fontanes kritische Frage **nach den Glücksmöglichkeiten seiner Zeit**[4] stellt sich heute mit unverminderter Intensität als die Frage, welche Glücksmöglichkeiten dem Individuum unsere Zeit bietet, aber auch verwehrt.

2 Irrungen und Wirrungen der Rezeptions- und Deutungsgeschichte

Über die Entstehung des Romans *IRRUNGEN, WIRRUNGEN* gibt es nur wenige Informationen. So weiß man nicht, ob dem Text ein reales Ereignis zugrunde liegt. Die Handschrift ist verschollen und FONTANE selbst macht in seinen Briefen und Tagebüchern kaum Angaben über diesen Prosatext. Immerhin weiß man, dass FONTANE einen ersten großen Entwurf im Mai 1884 auf ›Hankels Ablage‹ – einem der Schauplätze des Romans – fertiggestellt. Dann nimmt er sich nach einer Pause von zwei Jahren das Manuskript wieder vor und bringt es 1886 auch zum Abschluss. 1887 erscheint der Roman im Vorabdruck der ***Vossischen Zeitung*** mit dem Untertitel EINE BERLINER ALLTAGSGESCHICHTE und wenig später, im Februar 1888, auch als Buch bei dem Leipziger Verleger F. W. Steffens.

Nicht unbedeutsam ist im Entstehungskontext die zeitliche Nähe zu zwei anderen Arbeiten des Romanciers: Parallel zu *IRRUNGEN, WIRRUNGEN* entstehen auch *CÉCILE* (1886) sowie *STINE* (1886). FONTANE hat abwechselnd an diesen Werken gearbeitet und es ist bereits verschiedentlich darauf hingewiesen worden, dass es eine produktive Auseinandersetzung während der Niederschrift dieser Texte über Gemeinsamkeiten und Unterschiede der Stoffvorlagen, über ihre poetische Transformation sowie über ihr Figurentableau gegeben hat. Die Berührungspunkte dieser beiden anderen Romane mit *IRRUNGEN, WIRRUNGEN* sind denn auch unübersehbar: *CÉCILE* nimmt vor allem den Eheroman vorweg, der im zweiten Teil von *IRRUNGEN, WIRRUNGEN* in den Vordergrund tritt, während *STINE* erneut das Thema der unstandesgemäßen Beziehung aufgreift. Hans-Heinrich Reuter spricht im Hinblick auf die enge Nachbarschaft der drei Romane von einer besonderen Kompositionstechnik: **Man glaubt einen Zyklus vor sich zu sehen, eine Trilogie, oder – um der kompositorischen Geschlossenheit jedes einzelnen der drei Werke besser gerecht zu werden – ein Triptychon, beruhend auf vielfältiger Entsprechung und Bezogenheit.**[5]

Es kann daher auch nicht überraschen, dass die Wirkungsgeschichte der drei Texte eng miteinander verflochten ist. Während die 1886 publizierte *CÉCILE* FONTANE Anerkennung und Wohlwollen einbringt, wird sein Roman *STINE* nach den teilweise heftigen Diskussionen über *IRRUNGEN, WIRRUNGEN* von der ***Vossischen Zeitung*** nicht mehr als Fortsetzungsroman angenommen und muss in Fritz Mauthners neuer Wochenschrift ***Deutschland*** erscheinen.[6] Unter den Stimmen, die sich ablehnend oder begeistert zu *IRRUNGEN, WIRRUNGEN* äußern, befinden sich auch die berühmter Zeitgenossen: Große Aufmerksamkeit erregt etwa die Fürsprache der naturalistischen Autoren. So veröffentlicht der dem Naturalismus nahe stehende Kritiker Otto Brahm 1888 eine zustimmende Kritik in der ***Frankfurter Zeitung***, in der er die genauen Milieuschilderungen und die atmosphärische Dichte des Romans lobt. Wenig später folgt Conrad Alberti, der führende Kopf dieser Bewegung in Deutschland, der anlässlich von FONTANES 70. Geburtstag in der Monatsschrift ***Die Gesellschaft*** eine anerkennende Rezension zu dem Werk veröffentlicht und FONTANE – in Verkennung seines besonderen realistischen Schaffensansatzes – zu einem zentralen Exponenten des Naturalismus erhebt.[7] Der große sozialdemokratische Literaturkritiker Franz Mehring dagegen schreibt in seiner 1891 veröffentlichten Streitschrift *KAPITAL UND PRESSE* über FONTANES *IRRUNGEN, WIRRUNGEN*, dass in diesem Text das **hohe Lied des Kapitalismus**[8] angestimmt werde.

Mehring interpretiert die leicht ironisch eingefärbte Personenzeichnung des Werkmeisters Gideon Franke als politische Verunglimpfung des proletarischen Klassenbewusstseins. Ihn stört bei der Darstellung dieser Figur vor allem, dass Franke sich mit dem dekadenten Adeligen Botho von Rienäcker auf einen Dialog einlässt, in dem er als gestrenger Sittenrichter auftritt. Aus Mehrings Sicht ist diese Haltung völlig inakzeptabel:

> **Es kommt wohl vor, daß ein ehrlicher Proletarier eine brave Genossin heirathet, auch wenn sie vorher von einem Schlingel ›aus den höheren Ständen‹ genasführt worden ist, aber wenn besagter Proletarier es für angezeigt findet, sich mit besagtem Schlingel noch persönlich zu befassen, so ›geht es an ein Schädelspalten‹, aber nimmermehr an einen religiösmoralischen Vortrag über die Richtigkeit des siebenten Gebots, über die Unheiligkeit der Ehe und die Heiligkeit des Eigenthums.**[9]

Hans-Heinrich Reuter hat diese unangemessene Polemik später mit Mehrings Frontstellung gegen die ***Vossische Zeitung*** erklärt, die er heftig bekämpfte, weil dieses Blatt nach seiner Auffassung eines der Sprachrohre des bourgeoisen Lebensgefühls gewesen sei: **So ist es zu erklären, daß Mehring dessen [des Romans, RW] Gehalt und Tendenz völlig verkannte, Äußerungen der Romangestalten mit Auffassungen des Dichters gleichsetzte und in dem Ganzen den ›Kapitalismus in seinen Dichterträumen‹ zu erkennen glaubte.**[10] Reuters Einlassung, dass die konservative Presse FONTANES Roman überwiegend ablehnend gegenüberstand und dass der von Mehring geäußerte Verdacht einer ideologischen Kumpanei schon aus diesem Blickwinkel absurd sei, ist zuzustimmen. Allerdings wird man Reuters Stilisierung des Autors zu einem sozialistischen Kapitalismuskritiker, der die Ausbeutung des proletarischen Menschen in der damaligen Zeit scharf geißelte, ebenso wenig zustimmen können.[11]

In solchen gewagten gesellschaftspolitischen Verortungen des Dichters

FONTANE wird man wohl die ideologischen Profilbildungen einer literaturwissenschaftlichen Lesart erblicken müssen, die sich in den 70er-Jahren an den politischen Vorgaben des sozialistischen Menschenbildes in der ehemaligen DDR orientierte.

Die Verwerfungen und Fehlleistungen der Kritik haben den Siegeszug des Romans bei seinen Lesern freilich nicht verhindern können. Bereits 1910, 12 Jahre nach dem Tod des Autors, wird in dem Verlag des Sohnes ›Friedrich Fontane & Co, Berlin‹ die 15. Auflage des Werkes gedruckt. Zu einer erheblichen Breitenwirkung der Rezeption trägt daneben die Aufnahme des Romans in die von Fischer herausgegebene *BIBLIOTHEK ZEITGENÖSSISCHER ROMANE* bei, die den Text in ihrer dritten Reihe publiziert, nachdem die beiden vorangegangenen Reihen bereits *L'ADULTERA* und *CÉCILE* präsentiert hatten. Wenig später, im Jahre 1915, wird bei Fischer eine fünfbändige Auswahlausgabe der Romane und Erzählungen ediert, die ebenfalls große Popularität bei den Lesern erlangt und der nach dem Ersten Weltkrieg größere Gesamtausgaben folgen. Um die Mitte der 20er-Jahre nimmt, wie Peter de Mendelssohn berichtet, FONTANES *IRRUNGEN, WIRRUNGEN* mit einer Auflagenstärke von 158 000 Exemplaren vor allen anderen Romanen des Dichters in der Fischer-Bibliothek eine Spitzenposition ein.[12] Nach dem Zweiten Weltkrieg hält die unvermindert rege Wirkungsgeschichte des Romans an und gewinnt insbesondere durch Wiederabdrucke in überregionalen Tageszeitungen zu Beginn der 60er-Jahre – so etwa in der ***Neuen Zürcher Zeitung*** – weiter an Breite.[13] Selbst die vielfach rigide Wertungen vornehmende Trivialliteraturforschung der 70er-Jahre, die FONTANE vereinzelt unter Ideologieverdacht stellen möchte[13a], kann das unvermindert anhaltende Lektüreinteresse nicht ernsthaft abschwächen.

Die teilweise widersprüchlichen Einschätzungen in der zeitgenössischen Rezeption des Romans setzen sich in der literaturwissenschaftlichen Rezeption des Werkes nicht fort. Die Überzeugung, dass FONTANE mit diesem Werk seine Meisterschaft erreicht habe, ist seit Conrad Wandreys[14] Einschätzung zu einer stehenden Wendung in der FONTANE-Forschung geworden. Charlotte Jolles bemerkt analog dazu in ihrem Forschungsresümee zur literaturwissenschaftlichen Rezeptionsgeschichte des Werkes, dass gegenüber diesem Roman lediglich **der Grad der Wertschätzung unterschiedlich sein** [**mag**][15] und dass die ästhetische Qualität des Werkes früh erkannt worden sei. Zutreffend konstatiert Jolles daneben, dass **sich die Forschung [...] weniger mit der Interpretation abgegeben [hat] als mit dem, was Fontane die ›Finessen‹ dieser von ihm besonders geliebten Arbeit nennt, nämlich mit der künstlerischen Gestaltung.**[16]

Insbesondere die erzählerischen Verfahren sind in der Vergangenheit intensiv untersucht worden. Eine bemerkenswerte Ausnahme bildet die umfangreiche Monografie Walter Müller-Seidels, in der die gesellschaftlichen Bezüge des FONTANE'SCHEN Werks in den Mittelpunkt gestellt werden. Müller-Seidel verbindet in seiner Interpretationsarbeit auf überzeugende Weise differenzierte Textexegese und sozialgeschichtliche Analyse miteinander. Seine Auffassung, dass der eigentliche Konflikt des Romans **in dem Gegenüber von Gesellschaft und Menschlichkeit**[17] zu suchen sei, markiert eine zentrale Lesart des Textes, auf die in diesem Interpretationsband ebenfalls ein Schwerpunkt gelegt werden soll. Müller-Seidels Einschätzung, dass FONTANE in diesem Text **Konflikte der bürgerlichen Klassengesellschaft**[18] thematisiert habe, kennzeichnet auch einige neuere Forschungsansätze zu diesem Roman. So machen Walter Hettche[19] und Hugo Aust[20] in ihren Interpretationen die gesellschaftliche Konformität der Agierenden für das Scheitern verantwortlich und Christine Hehle betont im Nachwort der Brandenburger Ausgabe, dass in diesem Roman **konventionelle Lüge, Heuchelei und die Verfallserscheinungen der wilhelminischen Gesellschaft [...] auf subtile Weise offen gelegt [werden].**[21]

Norbert Mecklenburg hat in einer bemerkenswerten Monografie Ende der 90er-Jahre darauf hingewiesen, dass FONTANES Erzählkunst **ein Spannungsfeld von Diagnostik und Ethik**[22] entfaltet, das über den vielfach beschworenen Antagonismus von Individuum und Gesellschaft hinausgehe. Mit einiger Berechtigung weist Mecklenburg darauf hin, dass der märkische Dichter gerade nicht nur den Menschen in seinem Gegensatz zur Gesellschaft zeige, sondern mehr noch als handelnden Teil dieser Gesellschaft, der ihre Normen und Moralvorstellungen verinnerlicht habe. Die hermeneutische Verengung eines einseitig auf die Konfliktstellung zur Gesellschaft abhebenden Interpretationsansatzes hat nach Mecklenburg zur Folge, dass gerade die **ethische Dimension der Romane Fontanes [...] in jüngster Zeit gegenüber der diagnostischen vernachlässigt worden [sei].**[23] FONTANES Romane **diagnostizieren zwar unbestechlich und kritisch die gesellschaftlichen Strukturen und Prozesse, Normen, Muster und Zwänge, in welche die Individuen verflochten sind, aber sie tun es, um die Handlungsspielräume zu erkunden und die Alternativen abzuwägen, die ihnen auf der Grundlage solcher Verflechtungen dennoch offen stehen.**[24]

Dass mit diesem Ansatz eine eminent wichtige didaktische Perspektive für die Lektüre der Texte FONTANES eröffnet wird, ist unübersehbar. Mecklenburgs Vorschlag, die ethische Vielstimmigkeit und den Appellcharakter der späten Romane stärker in den Blick zu nehmen, ermöglicht es Schülern, **die Geschichten, in die wir lebend verstrickt sind, experimentierend mit denen in Beziehung zu setzen, in die wir uns lesend verstricken las-**

sen.[25] FONTANES Werke werden damit **zu sprachlichen Echoräumen für die verschiedensten Stimmen aus der geschichtlich-sozialen Welt**[26], deren Lektürewiderhall in ihnen auch Reflexionen über das eigene Handeln und Denken in der Gesellschaft hervorbringen kann.

Einen beträchtlichen Erkenntniszugewinn bringt schließlich die von Xiaoqiao Wu[27] vorgelegte Studie zur gesellschaftlichen Problematik der Mesalliance, die in FONTANES *IRRUNGEN, WIRRUNGEN* im Zentrum steht und eine **tiefgreifende Sozialkritik an der preußischen Ständegesellschaft**[28] formuliert. Ergänzt werden diese Reflexionen zur sozialgeschichtlichen Dimension des Textes von anregenden Einzelstudien wie etwa der von Christine Hehle[29] zum Motiv der Unterweltreise bei FONTANE, in denen einzelne Episoden oder Aspekte des Textes näher betrachtet werden.

Die intensive Rezeption dieses Romans im privaten und öffentlichen Bereich findet ihre Entsprechung im schulischen und akademischen Kontext. Beispielsweise zeigt eine Lektüreübersicht des Kultusministeriums in Nordrhein-Westfalen zum Abitur im Fach Deutsch aus dem Jahre 2002, dass *IRRUNGEN, WIRRUNGEN* mit 32 Nennungen einen Platz im vordersten Feld behauptet. Von den Romanen FONTANES wird nur *EFFI BRIEST* (mit 113 Nennungen) höher eingeschätzt. In den Kultusministerien anderer Bundesländer mit Zentralabitur zeigt sich ein vergleichbares Bild: Neben Nordrhein-Westfalen gehörte oder gehört der Roman beispielsweise zur Pflichtlektüre für das Abitur in Bayern, im Saarland, in Sachsen-Anhalt und Sachsen. Nicht viel anders sieht es im universitären Bereich aus: FONTANES große Prosawerke werden häufig zum Gegenstand der akademischen Seminarpraxis gemacht. Kein Zweifel, FONTANE ist, wie Kurt Sollmann anlässlich seines 100. Todestages in der Zeitschrift ***Der Deutschunterricht*** 1998 konstatiert, **seit langem zu Recht fester Bestandteil des (Hoch-)Schulkanons**[30], wobei die Romane *EFFI BRIEST*, *IRRUNGEN, WIRRUNGEN* sowie *FRAU JENNY TREIBEL* **teilweise überproportional** in den Lehrplänen Berücksichtigung fänden.[31]

Diese Wertschätzung korrespondiert mit einer Fülle von Interpretationsbänden, Unterrichtsmaterialien und Lernhilfen, die zu dem Roman in den letzten Jahren und Jahrzehnten erschienen sind. Stellvertretend seien an dieser Stelle nur einige wichtige Bände aufgeführt: Als begleitende Lektüre zu empfehlen sind immer noch die Kommentare von Kurt Sollmann, der die einzelnen Szenen des Romans in einer Art Lineardiskurs abhandelt, dabei einen guten Überblick über den Forschungsstand gibt und manche prägnante Formulierung und Bewertung findet, die als Ausgangspunkt einer unterrichtlichen Auseinandersetzung dienen kann. Nahezu unverzichtbar im wissenschaftlichen Umgang mit dem Text sind meiner Auffassung nach auch die teilweise vorzüglichen Materialienbände der Reclams

Universalbibliothek aus der Reihe *Erläuterungen und Dokumente*, die in geordneter Folge wesentliche Quellen und Materialien zum Primärtext und seiner Rezeptionsgeschichte versammeln. Der von Fredrick Betz betreute Band zu *Irrungen, Wirrungen* bietet – wie alle Bände der Reihe – zusätzlich den Vorteil, dass er einen ausführlichen Anmerkungsapparat zur Reclam-Textausgabe des Romans liefert.

Wer weitergehende Informationen sucht, wird sie im Fontane-Archiv in Potsdam[32] bekommen können, das die größte Sammlung von Fontane-Quellen in Deutschland beherbergt und eine umfangreiche Bibliothek zur Sekundärliteratur über Fontanes Werk besitzt. Über die Internetseite des Archivs lassen sich beispielsweise auch die Inhaltsverzeichnisse sämtlicher Jahrgänge der Fontane-Blätter, des wichtigsten Periodikums zur Fontane-Forschung, als PDF-File herunterladen und nach entsprechenden Aufsatztiteln durchsuchen; bestellen kann man die Titel dann ebenfalls über das Archiv gegen einen kleinen Obolus.

In der Frage der Primärtextauswahl ist prinzipiell die Entscheidung zu treffen, ob man eine Taschenbuchausgabe oder eine mit Materialien ergänzte Lektürefassung der Schulbuchverlage wählt. Von den Taschenbuchausgaben bieten nach wie vor Reclam, dtv und der Aufbau-Verlag preisgünstige Alternativen, wobei der Aufbau-Verlag zwar den günstigsten Preis hat, aber auf Materialien und ein Anmerkungsverzeichnis verzichtet. Sehr reichhaltig ausgestattet ist die dtv-Taschenbuchausgabe des Romans: Sie bringt einen immer noch lesenswerten Kommentar von Nürnberger, einen ausführlichen Anmerkungsapparat, einen umfassenden Materialienteil mit vielen Briefzeugnissen sowie eine Zeittafel und eine Literaturliste. Am weitesten verbreitet scheint die Reclam-Ausgabe zu sein, die freilich wegen ihres kleinen Druckbildes mitunter mühsam zu lesen ist.

3 Ein Sittengemälde des Wilhelminismus

Zum ersten Male war die Lebenslüge der herrschenden Gesellschaft bis ins Mark getroffen und durchschaut, entlarvt mit einer poetischen Eindringlichkeit und Überzeugungskraft, wie sie der deutsche Roman zuvor nicht gekannt hatte.[33]

Mit dieser – seither oft zitierten – Einschätzung begründet Hans-Heinrich Reuter seine hohe Wertschätzung für FONTANES Roman. Die vehemente Stellungnahme des ostdeutschen FONTANE-Forschers aus dem ehemals sozialistischen Teil der Republik greift das Votum des großen marxistischen Literaturtheoretikers Georg Lukács auf, der in seinem berühmten Essay über den alten FONTANE erstmals auf diesen sozial- und gesellschaftskritischen Grundzug der späten Romane hinweist. Lukács sieht den märkischen Dichter als eine **schwankende Gestalt**[34], einen unbewussten Gestalter des immer sichtbarer werdenden gesellschaftlichen und politischen Konflikts zwischen der preußischen Feudalgesellschaft des späten 19. Jahrhunderts und den aufstrebenden Klassen des Bürgertums und der Arbeiterschaft, **denn Fontanes Sympathie für die Arbeiterklasse und überhaupt für alle plebejischen Schichten paart sich [...] mit der Zuneigung zu den alten märkischen Junkern.**[35]

Die von Georg Lukács herausgearbeiteten Ambivalenzen und Widersprüche artikulieren sich nach seiner Auffassung ästhetisch in einer realistischen Darstellungskunst, **die die deutsche Literatur der zweiten Hälfte des 19. Jahrhunderts aus ihrer provinziellen Enge [heraushebt].**[36] Für den ungarischen Literaturtheoretiker ist Lene Nimptsch, die Protagonistin aus *IRRUNGEN, WIRRUNGEN*, unter diesem Blickwinkel **die bedeutendste Gestalt, die Fontane geschaffen hat,**[37] weil sich in ihr jenes authentische Ethos des gesellschaftlich unterdrückten Individuums artikuliert, das zugleich die Dialektik von Aufbegehren und Unterwerfung in einer inhumanen Gesellschaft sichtbar macht.

Die ideologiekritischen Vermessungsarbeiten von Georg Lukács haben das rezeptionsgeschichtliche und hermeneutische Terrain für die nachfolgenden Generationen von Literaturwissenschaftlern nachhaltig festgelegt und begrenzt. 25 Jahre nach Lukács schreibt Walter Müller-Seidel, ein weithin anerkannter Forscher des FONTANE'SCHEN Spätwerks, über das Scheitern der Liebesbeziehung und die gesellschaftliche Situation der Lene Nimptsch:

Den auf solche Weise Deklassierten wird es verwehrt, gleichberechtigte Partner in einem Liebesverhältnis zu sein [...] Dass man bestimmten ›Ge-

schöpfen‹ der Gesellschaft etwas vorenthält, worauf sie nach der menschlichen Seite hin Anspruch haben, ist hier das sozial Relevante der Standesunterschiede.[38]

Eine Deutung des Romans, ohne den Blick auf die damals herrschenden gesellschaftlichen Widersprüche zu richten, erscheint heute daher kaum sinnvoll, auch wenn, wie Hugo Aust kenntnisreich in seinem Materialienband zu Fontanes Prosa referiert, sich mittlerweile eine Fülle von präzisierenden Deutungen und Spezialanalysen dem wissenschaftlichen Schrifttum über diesen Roman angelagert haben.[39]

Allerdings wird man sich auch hüten müssen, bei diesem gesellschaftskritischen Fokus auf den Text jene Defizite der Forschung fortzuschreiben, die Norbert Mecklenburg in seiner Monografie kritisch angemerkt hat:

> So ist die Geschichte einer von vornherein aussichtslosen Liebesbeziehung zwischen einer jungen Näherin und einem adligen Offizier [...] bis heute so anrührend geblieben, nicht weil in dem längst veralteten Standeskonflikt ein gewissermaßen ewiger Gegensatz von natürlicher Menschlichkeit und einengender reduzierender Gesellschaft dargestellt wäre, vielmehr weil bis heute ethisch und lebenspraktisch belangvolle Konflikte ausgemessen werden: zwischen Lebenslüge und Integrität, Anpassung und Widerstand, Egoismus und Hingabe, Grobheit und Feingefühl, Oberflächlichkeit und menschlicher Reife – Konflikte also, die nicht zwischen der ›bösen‹ Gesellschaft und dem ›guten‹ Individuum ausgetragen werden, sondern mitten durch diese hindurchgehen.[40]

3.1 Biografisch-psychologische Aspekte

Die Gründe für diese starke gesellschaftliche Fokussierung der Romanthematik sind vermutlich auch in den Besonderheiten der Fontane'schen Biografie zu suchen. Helmuth Nürnberger berichtet in seiner bis heute immer noch maßgebenden Fontane-Biografie[41], dass sich der Autor in den 80er-Jahren des 19. Jahrhunderts immer stärker in das Privatleben zurückzog und dass diese Zeit von schweren persönlichen Schicksalsschlägen überschattet wurde. So stirbt im Jahr 1887 der erste Sohn Georg, enge Freunde wie Johann Gustav Droysen (1884), Bernhard von Lepel (1885), Hermann Scherz (1888) und Mathilde von Rohr (1890) sowie Henriette von Merckel (1890) werden in diesem Jahrzehnt ebenfalls zu Grabe getragen. Nürnberger bemerkt hierzu:

> Das Fortschreiten der Jahre und das epische Werk, das er sich auferlegt hatte, wirkten dahin, daß alle privaten Beziehungen Fontanes einen steten, wenngleich langsamen Rückgang zeigten. Es ist bewegend, zu sehen, wie zur selben Zeit seine schöpferische und kritische Kommunikation mit der Epoche zunimmt.[42]

Zugleich wird bei Fontane ein immer stärker werdender Impetus deutlich, sich mit den politischen und gesellschaftlichen Fragen seiner Zeit auseinander zu setzen. So berichtet die Fontane-Biografie, dass der Autor zu Beginn der 80er-Jahre zwei Versuche unternahm, sich der politischen Epik zuzuwenden, dieses Vorhaben nach wenigen Vorarbeiten aber wieder aufgab.[43] Es kann kein Zufall sein, dass diese Bemühungen etwa zeitgleich mit seiner Hinwendung zum Genre des Berliner Gesellschaftsromans datieren, in dem Fontane von nun an sein eigentliches Wirkungsgebiet entdecken sollte.

Die ersten Anzeichen für diese künstlerische Wende zeichnen sich bereits in dem 1880 erstmals veröffentlichten Gesellschafts- und Ehebruchsroman *L'Adultera* ab, der das Sujet, das der Dichter nun immer wieder aufgreifen wird, exponiert: Die gesellschaftliche Konventionsehe, in der die personalen und gesellschaftlichen Normkonflikte übertüncht werden und ihre subversiven Alternativen wie den Ehebruch, die Mesalliance oder andere nicht standesgemäße Liebesverbindungen. Während Fontane den gesellschaftlichen Sprengstoff des Romanthemas in *L'Adultera* nicht zur Explosion bringt, sondern die Liebenden still ihr Glück genießen und den indezenten, aber nicht unsympathischen Kommerzienrat van der Straaten moralisch beglückt als verlassenen Ehemann abtreten lässt, wird der Konflikt in *Cécile* und *Irrungen, Wirrungen* ausgetragen und in seiner ganzen verstörenden Wirkung dokumentiert. In *Cécile* bringt sich die Protagonistin, eine ehemalige Fürstenmätresse, um, nachdem ihr Mann den vermeintlichen Fehltritt seiner Frau mit einem jungen Ingenieur in einem Duell ›gerächt‹ und seinen Widersacher niederstreckt hat. In *Irrungen, Wirrungen* gehen die Protagonisten, nachdem sie sich den gesellschaftlichen Zwängen unterworfen haben, langweilige Konventionsverbindungen ein, in denen sie die Utopie ihrer glücklichen emotionalen Vergangenheit weiterhin beunruhigt und quält.

Parallel zu dieser werkbiografischen Entwicklung konstatieren die Biografen ein immer deutlicher werdendes Zerwürfnis des Autors mit dem preußischen Adel. Nachdem Fontane schon durch die Veröffentlichung von *Irrungen, Wirrungen* als Fortsetzungsroman in der ***Vossischen Zeitung*** von Seiten des märkischen Junkertums mit Kritik überzogen wurde, verschärfte sich die Ablehnung nach der Publikation des nächsten Romans *Stine*, der in einem noch delikateren Milieu angesiedelt war als sein Vorgänger. Die teilweise empörten Reaktionen der preußischen Adelsblätter zu *Irrungen, Wirrungen* vertieften die Enttäuschung Fontanes zusätzlich, die er in einem Brief an Paul Schlenther am 22. Juni 1888 folgendermaßen ausdrückt: **Denn daß der alte so genannte Sittlichkeitsstandpunkt ganz dämlich, ganz antiquiert und vor allem ganz lügnerisch ist, das will ich wie Mortimer auf die Hostie beschwören.**[44] Die unmittelbaren Auswirkungen dieser Entfremdung ließen nicht lange auf sich warten: Als im Jahr 1889 FONTANE seinen 70. Geburtstag feiert, fehlen die Repräsentanten des märkischen Adels fast vollständig. Der einstmals von konservativen Kreisen gefeierte Autor war dem Junkertum mittlerweile suspekt geworden.

Das Thema der Mesalliance, das FONTANE in *IRRUNGEN, WIRRUNGEN* und den zeitlich benachbarten zwei Romanen *CÉCILE* und *STINE* intensiv behandelt, hat für den Verfasser daneben auch noch eine persönliche Dimension. FONTANE, der 1850 Emilie Rouanet-Kummer heiratete, hat vor der Eheschließung intime Beziehungen zu anderen Frauen unterhalten, die man lange vor der Nachwelt verborgen gehalten hat. In einem Brief vom 1. März 1849 gesteht er dem Freund Lepel, dass er erneut Vater eines unehelichen Kindes geworden sei:

> **Denke Dir: ›Enthüllungen No. II‹; zum zweiten Male unglückseliger Vater eines illegitimen Sprößlings. Abgesehen von dem moralischen Katzenjammer, ruf' ich auch noch aus: ›Kann ich Dukaten aus der Erde stampfen usw.‹ Meine Kinder fressen mir die Haare vom Kopf, eh die Welt weiß, daß ich überhaupt welche habe. O horrible, o horrible, o most horrible! ruft Hamlets Geist und ich mit ihm. Das betreffende interessante Aktenstück (ein Brief aus Dresden) werd' ich Dir am Sonntage vorlegen, vorausgesetzt, daß Du für die Erzeugnisse meines penes nur halb so viel Interesse hast wie für die meiner Feder.[45]**

Unter diesem Blickwinkel gewinnen die detaillierten Schilderungen des Autors aus der Berliner Halbwelt in den beiden Romanen *IRRUNGEN, WIRRUNGEN* sowie *STINE* eine besondere Bedeutung. Die Forschung hat zwischenzeitlich darauf hingewiesen, dass FONTANES intime Erlebnisse auch im Figurentableau seiner Romane Niederschlag gefunden haben. Neben der schillernden Frau Dörr aus *IRRUNGEN, WIRRUNGEN* konkretisieren sich insbesondere in der attraktiven Witwe Pittelkow aus *STINE* nach jüngeren, investigativen Forschungen zu diesem delikaten Themenkomplex Merkmale jener Geliebten, zu der FONTANE eine – nach damaligem Sprachgebrauch – illegitime sexuelle Beziehung unterhielt, aus der zwei uneheliche Kinder hervorgingen.[46] Günter Grass geht in seinem FONTANE-Roman dagegen davon aus, dass in dieser nicht unbedeutenden biografischen Episode aus dem Leben des Autors die bisher unbekannte Stoffvorlage für *IRRUNGEN, WIRRUNGEN* zu erblicken ist und dass in der Figur der Lene Nimptsch sich eine gewisse Magdalena Strehlenow widerspiegele, die mit FONTANE damals ein Liebesverhältnis unterhielt.[47] Allerdings muss man diese Mutmaßungen mehr auf die fiktionale Einbildungskraft des Autors Grass als auf die Faktenlage zurückführen, wie zuletzt festgestellt wurde.[48]

Die Forschungen Seilers bestätigen indessen, was man bisher allenfalls vermutet hat: FONTANE selbst hat offenbar vor der Eheschließung mehrfach Ausflüge in das Dresdner Halbwelt-Milieu unternommen und dort auch die Bekanntschaft mit der späteren Mutter seiner beiden unehelichen Kinder angebahnt. Seine Kenntnis **jenes zwielichtigen Randbezirk[s] der illegitimen Geschlechterbeziehungen**[49], die er in den genannten Romanen so plastisch darstellt, beruht also ganz offensichtlich auf eigenen Erfahrungswerten. Dies belegt auch eine Briefnotiz, in der FONTANE offen bekennt, dass er selber **in grauer Vergangenheit in dieser Welt herumgeschnüffelt**[50] habe.

3.2 Historisch-soziologische Aspekte

Aber nicht nur seine eigenen Erfahrungen dürften FONTANE dazu bewogen haben, das prekäre Thema unstandesgemäßer Beziehungen auf die Tagesordnung seiner dichterischen Produktion zu heben, sondern auch die konkrete gesellschaftliche Situation dieser Epoche. So bemerkt Xiaoqiao Wu, dass die Mesalliance in der preußischen Ständegesellschaft **als ein spezifisches historisches Phänomen im adligen Eheleben [...] eine lange Vorgeschichte**[51] hat. Die juristische Praxis der so genannten morganatischen Eheschließung, nach der ein uneheliches Kind aus einer unstandesgemäßen Beziehung nicht die Rechte des Vaters, sondern nur die gesellschaftlichen Rechte der – häufig unterprivilegierten – Mutter erbt, hatte in Deutschland bis in die Anfänge der Weimarer Republik für den Adel Gültigkeit. Dass von diesem verbrieften Recht des Adels bald auch das emporstrebende Bürgertum nachhaltig Gebrauch machte, belegt nicht nur das Beispiel FONTANES, sondern auch die stetig wachsende Zahl von Frauen, die in der Wilhelminischen Ära der Prostitution nachgingen, sowie auch die ständig steigende Geburtenrate unehelicher Kinder.

So sind **die kleinbürgerlichen Aufstiegsträume dieser drei von etwa vierzigtausend Prostituierten der Zeit**[52], die FONTANE im 13. Kapitel von *IRRUNGEN, WIRRUNGEN* auftreten lässt, charakteristisch für die Situation vieler Halbweltdamen. Ihre Existenz und ihr fortschreitendes Wachstum verdankt diese Gesellschaftsgruppe freilich zumeist den besitzenden Klassen wie dem Adel und dem Großbürgertum: **Die es sich ›leisten‹ können, sind vermögende Offiziere oder Akademiker.**

Der 1871 errungene Sieg über Frankreich spülte große Mengen von Kapital in das neu gegründete deutsche Reich, das die im Krieg unterlegenen Franzosen in Form von Reparationsleistungen zu zahlen hatten. Dieser stetige Geldzufluss verbesserte vor allem die ökonomischen Grundlagen des Bürgertums, das seinen Wohlstand mehren konnte und auch politisch nach größerem Einfluss strebte. Dennoch bewirkte die neue ökonomische Mobilität breiter Gesellschaftsschichten keine durchgreifende Demokratisierung der Gründerzeitgesellschaft. **Die wilhelminische Gesellschaft war**

eine ›segmentierte‹ Gesellschaft.[53] **Sie lebte mehr als die westeuropäischen Gesellschaften in unterschiedlichen kulturellen und sozialmoralischen Traditionen und Milieus.**[54] Diese Segmentierung hatte zur Folge, dass die soziale Mobilität zwischen den einzelnen Klassen begrenzt war, man achtete streng auf Distinktion und Abgrenzung von den vermeintlich unter dem eigenen Sozialstatus liegenden Gesellschaftsschichten. Die agierenden Figuren in den späten Romanen FONTANES sind Musterbeispiele für dieses rigide Sozialverhalten.

Mit unnachgiebiger Härte verteidigten vor allem die ostelbischen Junker, die sich selbst als herrschende Klasse im Wilhelminischen Staat begriffen, ihre politischen und gesellschaftlichen Privilegien. FONTANE entwickelt in seinem Alterswerk zur preußischen Aristokratie ein zunehmend kritisches Verhältnis.

> **In den Jahren nach 1871 [...] gelangte Fontane zu der Überzeugung, dass die Spontaneität und Freiheitsliebe, die den preußischen Landadel einst beseelt hatten, verloren gegangen waren und daß von den anderen guten Eigenschafen dieser Klasse nur noch eine versteinerte äußere Hülle geblieben war, eine Art Katalog spezifisch preußischer Tugenden, derer man sich beständig rühmte, um die eigene Ausnahmestellung zu rechtfertigen.**[55]

FONTANE wird damit zum Chronisten einer Epoche des Übergangs und Untergangs. Mit seismografischem Gespür registriert er vor allem den zunehmenden Macht- und Substanzverlust des sich immer noch prädominant gebenden preußischen Adels. Die ernüchternden Reflexionen Bothos im 14. Kapitel auf das eigene gesellschaftliche und personale Leistungsvermögen enthüllen das ganze Ausmaß des inneren Zerfalls, dem dieser Stand mittlerweile ausgesetzt ist: ›**Wer bin ich? Durchschnittsmensch aus der sogenannten Obersphäre der Gesellschaft. Und was kann ich? Ich kann ein Pferd stallmeistern, einen Kapaun tranchieren und ein jeu machen. Das ist alles [...]**‹ (IW, 99/91/96 = RUB/dtv/AtV).[56]

Das ist in der Tat nicht sehr viel und so gewinnt die Heirat mit der etwas albernen Käthe von Sellenthin noch ganz andere Dimensionen. Die Ehelichung der vermögenden jungen Dame soll nicht nur den drohenden finanziellen Ruin der Familie und des über seine Verhältnisse lebenden Romanhelden abwenden, sondern diesem auch eine lebenspraktische Perspektive bieten, die vornehmlich darin besteht, das nichtsnutzige Leben, das er vor der Heirat geführt hat, danach ungefährdet fortsetzen zu können. Eine Verbindung mit Lene Nimptsch ist dem Gardeoffizier Botho von Rienäcker auch deshalb nicht möglich, weil er – nach Wegfall seiner Privilegien – nicht in der Lage ist, die ökonomischen Grundlagen für eine solche Beziehung durch eigene Arbeit zu sichern: Er ist, wie er selber zugibt, völlig unfähig, einen Beruf auszuüben.

Besondere Aufmerksamkeit widmet FONTANE in *IRRUNGEN, WIRRUNGEN* daneben einem gesellschaftlichen Milieu, das um die Jahrhundertwende zu einer der stetig wachsenden Bevölkerungsschichten gehört: dem Kleinbürgertum. Viele Akteure des Romans entstammen dieser gesellschaftlichen Kaste: die Dörrs, Lene, ihre Pflegemutter und auch Gideon Franke. Golo Mann erklärt das rasante Wachstum dieses Standes mit der zunehmenden Verstädterung und dem fulminanten Anstieg der industriellen Produktion in Deutschland:

> **Die deutsche industrielle Gesamtproduktion überflügelt in den siebziger Jahren die französische, erreicht die englische um 1900, übertrifft sie 1919 um ein Beträchtliches; damals steht sie nur der nordamerikanischen nach. In Deutschland leben um 1830 vier Fünftel der Bevölkerung auf dem Lande und von der Landwirtschaft; 1860 drei Fünftel, 1882 zwei Fünftel, 1895 kaum mehr eines.**[57]

Die agierenden Figuren in FONTANES *IRRUNGEN, WIRRUNGEN* spiegeln diesen gesellschaftlichen Umbruch auf subtile Art und Weise wider. Wenn der Dichter einen Großteil der Handlung auf das Gelände einer Gärtnerei verlegt, die sich am Rande der Großstadt Berlin befindet, dann scheint diese geografische Verortung auch ein poetischer Reflex auf die zunehmende Landflucht der Wilhelminischen Provinzbevölkerung zu sein. Dass sich die Liebesbeziehung zwischen Botho und Lene nur in dieser zerbrechlichen Idylle ereignen kann, die bereits von den Ausläufern einer fortschreitenden Urbanisierung bedroht wird, verdeutlicht auch den Wertewandel, der mit diesem geopolitischen Wandel einhergeht: Der individuelle Glücksanspruch, den die Liebenden in ihrem Refugium als Utopie aufrechterhalten können, zerbricht in der Konfrontation mit der gesellschaftlich-urbanen Wirklichkeit außerhalb dieser arkadischen Landschaft. Der spätere Umzug von Lene und Frau Nimptsch in eine Mietskaserne symbolisiert auch durch die geografische Veränderung des Geschehens die gesellschaftlichen Zwänge, deren Zugriff man sich nicht entziehen kann.

4 Struktur- und Figurenanalyse – Fontanes realistische Darstellungskunst

Die neueren Forschungsarbeiten zu FONTANES später Prosa betonen vor allem seine eigenständige erzählerische Leistung im literaturgeschichtlichen Kontext des europäischen Realismus.[58] Dabei ist vor allem von Aust das Problematische bisheriger Realismus-Definitionen herausgearbeitet worden: **Ob der alte Realismus-Begriff noch zu irgendeiner literaturwissenschaftlichen Arbeit taugt, ist heute mehr als fraglich: Zu oft erwies sich sein Anspruch, gleich einem Lackmuspapier den Wirklichkeitsgehalt von Kunstwerken, ihre natürlichen, echten und wahren Ingredienzien, anzuzeigen, als trügerisch.**[59] Die Realismus-Diskussion der vergangenen Jahrzehnte hat sehr deutlich gezeigt, dass Realismus in der Literatur nicht nur auf Wirklichkeiten reagiert, sondern diese auch zu allererst konstituiert. Realismus bedeutet zuerst auch **Darstellung von Wirklichkeitserfahrungen**[60]. Das heißt für den Literaturwissenschaftler, es sind gerade jene poetischen Prozesse zu erkunden, **die aus Bildern Wirklichkeit machen,**[61] und es ist zu fragen, wie diese Prozesse unter dem Blickwinkel der poetischen Herstellung und der Rezeption zu erklären sind. Aust hat drei Dimensionen einer differenzierten Realismus-Analyse im Werk FONTANES genannt: (I) Den gegenständlichen Aspekt von Wirklichkeit mit seinen gesellschaftlich normierten Vorstellungswelten und Alltagswahrheiten, (II) den prozessuralen Aspekt ihrer Erfahrungsverarbeitung als geglaubte, geprüfte oder gesehene Wirklichkeit sowie (III) den medialen Aspekt ihrer poetischen Darstellung im Kontext des jeweiligen literarischen Textes.

Die nachfolgende Werkanalyse will Bausteine zu einem differenzierten Verständnis dieser realistischen Darstellungskunst liefern, freilich ohne die von Aust vorgeschlagene komplexe Systematik ausführlich abzubilden. Vielmehr sollen sieben analytische Perspektiven eröffnet werden, die markante Merkmale dieser poetischen Wirklichkeitsdarstellung herausstellen. Diese analytischen Perspektivierungen legen Schwerpunkte auf den gegenständlichen Aspekt von Wirklichkeit sowie auf den medialen Aspekt der Darstellung, der prozessurale Aspekt der Erfahrungsverarbeitung soll hingegen im didaktischen Teil eine stärkere Berücksichtigung erfahren. Eine gewichtige Rolle im Kontext dieser Analyse spielt daneben die von Norbert Mecklenburg vorgelegte FONTANE-Monografie, die in Anlehnung an die Poetik Bachtins und die poststrukturalistische Diskursanalyse einen wesentlichen Erkenntnisbeitrag in den drei von Aust genannten Untersuchungsbereichen leistet.[62]

Auch wird im analytischen Teil zunächst Abstand von einer hermeneutischen Fokussierung oder Verengung genommen, wie sie etwa durch die Modellierung bestimmter Lesarten des Romans vorgenommen werden kann. Die entsprechenden hermeneutischen Strukturierungsvorschläge sollen der konkreten Reihenplanung und ihren unterschiedlichen Realisationsmöglichkeiten vorbehalten bleiben.

4.1 ›Ein Anrecht auf Glück‹ – die Thematik und ihre epische Gestaltung

Das große Thema von *Irrungen, Wirrungen* ist die Frage nach dem Glück des Einzelnen und sein unveräußerlicher Anspruch, diesem Glück in der Gesellschaft Geltung zu verschaffen. Wenn Fontane im 20. Kapitel den etwas seltsam anmutenden Laienprediger Gideon Franke, der lange Zeit in den USA gelebt und gearbeitet hat, in seinem Gespräch mit Botho die Feststellung machen lässt, dass es **viele Heilswege gibt und viele Glückswege** (IW, 147/132/141 f.), dann klingt in diesem Bekenntnis jene berühmte Formel der amerikanischen Verfassung von 1776 an, die davon spricht, dass der Mensch ein Anrecht auf die Glücksgüter dieser Welt habe: **Wir halten diese Wahrheiten für ausgemacht, dass alle Menschen gleich erschaffen worden, dass sie von ihrem Schöpfer mit gewissen unveräußerlichen Rechten begabt worden, worunter sind Leben, Freiheit und das Streben nach Glückseligkeit.**[63]

Der unauflösbare und tragische Konflikt von Fontanes Geschichte ist, dass diese Utopie eines persönlichen Glücks auf die rigiden Gesellschaftstrukturen einer inhumanen Klassengesellschaft trifft, deren Normen und Zwänge nicht nur ständig im Alltagsleben spürbar werden, sondern sich auch untergründig im Bewusstsein der handelnden Figuren bereits festgesetzt haben. Das eigentlich Deprimierende des Romangeschehens ist, dass von Anfang an das Scheitern der Liebesbeziehung zwischen Lene und Botho feststeht. Fontane hat diesen Handlungsverlauf durch eine Fülle von subtilen Leitmotiven antizipiert und vorbereitet (Aspekte I und III der Realismusdefinition von Aust).

Schon die erste Begegnung zwischen Lene und Botho steht unter den Vorzeichen des späteren Abschiednehmens: Man geht unter vielen Liebesbekundungen vor dem Haus der Dörrs auseinander (IW, 6/10/8). Stets ist es Lene, die in melancholischen Wendungen immer wieder auf die zukünftige Trennung rekurriert: **Du liebst mich und bist mir treu, wenigstens bin ich in meiner Liebe kindisch und eitel genug, es mir einzubilden. Aber wegfliegen wirst du, das seh ich klar und gewiß.** (IW, 33/33/33). Oder an anderer Stelle, nur wenige Abschnitte später: **Man muß allem ehrlich ins Gesicht sehn und sich nichts weismachen lassen und vor allem sich nichts**

selber weismachen. Aber es wird kalt und drüben ist es auch vorbei. Das ist das Schlußstück, das sie jetzt spielen. (IW, 34/34/34).

Ergänzt und potenziert wird diese Symbolik des Abschiednehmens vor allem durch das Traummotiv. Hugo Aust hat in diesem Kontext sogar von einer **Doppelung der Handlung in Traumgeschehen und Wirklichkeitserlebnis**[64] gesprochen. Die Eigenart Lenes, ihre Glücksvorstellungen von einem gemeinsamen Leben mit Botho in die Sphäre des Unwirklichen und Traumhaften zu heben, verdeutlichen nachhaltig, dass sie von Beginn an nicht an ein glückliches Ende der Beziehung glaubt. Ja, mehr noch, sie versagt ihrem Denken damit jeden Wirklichkeitsbezug und akzeptiert vorbehaltlos die Logik der rigiden gesellschaftlichen Moralvorstellungen: **So vergingen ihr Minuten, schweigend und glücklich, und erst als sie sich wie von einem Traume, der sich doch nicht festhalten ließ, wieder aufrichtete, sagte sie: ›Woran hast du gedacht? Aber du mußt mir die Wahrheit sagen‹** (IW, 31/32/32). Und auf der Rückfahrt von Hankels Ablage, als Lene bewusst wird, dass die Beziehung unmittelbar vor dem Bruch steht, bekennt sie: **›Ich hab es freilich nur geträumt** [...] **Aber warum hab ich es geträumt? weil es mir den ganzen Tag vor der Seele steht. Mein Traum war nur, was mir mein Herz eingab** [...]‹ (IW, 95/87/92). Ergänzend dazu bemerkt Lene bei ihrem letzten Treffen mit Botho sehr sachlich: **Ich hab es so kommen sehn, von Anfang an, und es geschieht nur, was muß. Wenn man schön geträumt hat, so muß man Gott dafür danken und darf nicht klagen, daß der Traum aufhört und die Wirklichkeit wieder anfängt.** (IW, 105/96/102).

Eine Variante des Traummotivs sind auch die Anspielungen auf Märchen der Gebrüder Grimm im 4. Kapitel des Romans. So bringt Botho bei seinem Besuch eine Tüte mit Knallbonbons mit, die anschließend reihum geht. Die Neugierde der Frau Dörr kommentiert er mit den Worten: **›Nun, da will ich nicht lange warten lassen, sonst denkt meine liebe Frau Dörr am Ende, daß es ein goldener Pantoffel ist oder sonst was aus dem Märchen** [...]‹ (IW, 22/24/23). Wenig später verletzt sich Lene am Finger, der zu bluten anfängt, als sie eines der Knallbonbons öffnet, und die Dörr meint zu diesem Missgeschick: **›Das tut nich weh, Lene, das kenn ich; das is, wie wenn sich 'ne Braut in'n Finger sticht.** [...]‹ (IW, 22/24/23). Die Anspielungen auf die Märchen *ASCHENPUTTEL* und *DORNRÖSCHEN* komplettieren den Traumkomplex und verdeutlichen erneut, dass die Liebesbeziehung zwischen Lene und Botho etwas märchenhaft Irreales hat.

Antizipierenden Charakter hat auch das vom Erzähler eingeführte Heimlichkeitsmotiv, das in einer Vielzahl von Varianten auftaucht. Lene und Botho verbergen ihre Beziehung vor der Außenwelt; es scheint, dass beiden die Zerbrechlichkeit und das flüchtige Dasein ihrer Liebe von Beginn an bewusst ist. So trifft man sich bevorzugt an verschwiegenen Orten wie dem Dörr'schen Garten, unternimmt Spaziergänge zu abgelegenen Plätzen und meidet große Menschenansammlungen. Es ist bezeichnend, dass andere Begegnungsszenarien nur in der Fantasievorstellung Lenes denkbar sind:

> **›Weißt du, Botho, wenn ich dich nun so nehmen und mit dir die Lästerallee drüben auf und ab schreiten könnte, so sicher wie hier zwischen den Buchsbaumrabatten, und könnte jedem sagen: »Ja wundert euch nur, er ist er und ich bin ich, und er liebt mich und ich liebe ihn« – ja Botho, was glaubst du wohl, was ich dafür gäbe? [...]‹** (IW, 33 f./33/33).

Eine besondere Spielart des Heimlichkeitsmotivs ist schließlich das Maskenmotiv. Der Makel des Illegitimen, der dieser Beziehung aus der Sicht der Wilhelminischen Gesellschaft anhaftet, macht es vor allem für Botho erforderlich, die Liaison zu tarnen und vor den Augen der Öffentlichkeit zu verbergen. Lenes Bemerkung gegenüber Botho – **Du hast auch eine Maske** (IW, 62/59/61) – enthüllt die labile Haltung ihres Liebhabers, seine Abhängigkeit von der Meinung der Gesellschaft und die uneingestandene Furcht, sich in ein gesellschaftliches Abseits zu begeben. Gegenüber seinen Verwandten erwähnt Botho Lene mit keinem Wort und auch die Offizierskameraden verbreiten sich – mangels genauerer Kenntnis – in Mutmaßungen über diese Beziehung. Als Botho mit seiner Geliebten von den Regimentskameraden auf Hankels Ablage überrascht wird, ist er unfähig, die hässliche Maskerade dieser Vergnügungsgesellschaft zu durchbrechen und beteiligt sich resignativ an dem würdelosen Spiel: **Botho sah, welche Parole heute galt, und sich rasch hineinfindend, entgegnete er, nunmehr auch seinerseits vorstellend, mit leichter Handbewegung auf Lene: ›Mademoiselle Agnes Sorel‹.** (IW, 85/78/83). In diesem Augenblick zerbricht der schöne Schein der Beziehung zwischen den beiden, denn Lene wird mit dem Halbwelt-Milieu gleichgestellt, aus dem die Begleiterinnen der drei anderen Offiziere stammen. Indem Lene in die gesellschaftlich vorbestimmte Rolle gezwungen wird, verrät Botho nicht nur ihre Liebe, sondern entwertet und deklassiert auch den Menschen Lene.

4.2 Spiegelung und Kontrast – die Figurenkonstellationen

Eine seiner kunstvollsten Erzähltechniken hat FONTANE mit der Figurenkomposition in seinen späten Romanen verknüpft. Die Besonderheiten dieses Erzählverfahrens können dem Leser von *IRRUNGEN, WIRRUNGEN* bereits auf den ersten Seiten der Romaneinleitung deutlich gemacht werden. Obgleich Lene Nimptsch die Heldin des Romans ist, beginnt das erste Kapitel nicht mit der Protagonistin, sondern führt zunächst eine Nebenfigur ein: Frau Dörr, die sich mit der alten Frau Nimptsch, Lenes Pflegemutter, unterhält. Die Protagonistin tritt in diesem Kapitel nur am Ende kurz in Erscheinung, wenn sie von ihrem Rendezvous mit Botho zurückkommt und die beiden Frauen begrüßt. Dennoch erlangt der Leser bereits wichtige Informationen über die Heldin und bekommt erste Hinweise geliefert, auf welchen Konflikt das Geschehen hinsteuert. Es ist die große Meisterschaft FONTANES, seine Hauptfiguren durch das Gespräch, das andere über diese führen, zu exponieren und dem Leser in der Spiegelung und Kontrastierung mit Nebenakteuren einen ersten Blick auf das Profil seiner Protagonisten zu gestatten. Auf diese Weise entwirft FONTANE ein fein ausdifferenziertes Bild seiner Hauptfiguren, das nicht nur durch die Handlungen und Äußerungen der Akteure selbst Konturen gewinnt, sondern fast noch reichhaltigere Nuancierungen durch die (sprachlichen) Aktivitäten anderer Rand- und Nebenfiguren (Aspekt III der Realismusdefinition von Aust).

Jost Schillemeit hat dieses erzählerische Kompositionsprinzip nicht ganz zu Unrecht **mit den Farbtupfen eines impressionistischen Gemäldes** [**verglichen**]:[65] Die verschiedenen Figurenreden in den Romanen FONTANES summieren sich zu einem dichten atmosphärischen Bild, das die einzelnen Hauptfiguren weitaus umfassender, vielschichtiger und perspektivenreicher in die erzählerische Optik rückt, als dies durch monoperspektivische Erzählverfahren, in denen nur ein schmaler Fokus von Erzählstimmen zum Einsatz kommt, möglich erscheint. Im Fall unserer Heldin Lene Nimptsch gruppieren sich nicht weniger als acht weitere weibliche Figuren um die Heldin, in deren Charakterprofilen sich die Eigenschaften der Protagonistin reflektieren und spiegeln (vgl. TA 2).
Lene erscheint als eine Person, die von großer Ernsthaftigkeit, von Aufrichtigkeit und Herzlichkeit geprägt ist. Sie liebt Botho, ist sich gleichzeitig aber auch seiner Schwäche bewusst und macht sich keine Illusionen über den Ausgang der Beziehung: **Du liebst mich und bist schwach** (IW, 33/33/33). Anders als Corinna Schmidt in *FRAU JENNY TREIBEL* ist Lene keine handelnde Geliebte, die ihren antriebsarmen Liebhaber dazu bringen will, die notwendigen gesellschaftlichen Schritte für eine Legalisierung der Beziehung einzuleiten. Sie ist kein ›rebellischer‹ Charakter, der von sich aus eine Umwälzung der gesellschaftlichen Verhältnisse herbeiführen möchte, ihr Wunsch nach Veränderung artikuliert sich lediglich in traumhaften Bildern und Fantasien.

Gleichwohl ist ihr gesamtes Handeln und Denken von einem gesunden Pragmatismus erfüllt, der sich vornehmlich aus ihrem starken Selbstwertgefühl ableitet, für das eigene Leben durch harte Arbeit selbst aufzukommen. Die aus dieser Erwerbstätigkeit resultierenden Klassengegensätze zu ihrem adeligen Liebhaber hat FONTANE, wie Sollmann betont, erzählerisch unmissverständlich zum Ausdruck gebracht: **Während Lene arbeitet, liest Botho Zeitung bzw. antizipiert den Tagesablauf in seinen verschiedenen Phasen gesellschaftlichen Müßiggangs (6. Kapitel).**[66] Ihre vernünftigen Auffassungen und die realitätsorientierte Lebensführung verhindern, dass die gescheiterte Beziehung mit Botho auch zu einer ökonomischen und psychischen Katastrophe wird. Die unvorbereitete Begegnung mit Botho und Käthe lassen sie sofort handeln und den Wohnort wechseln, die sich mit Gideon Franke anbahnende Beziehung geht sie mit Offenheit und Toleranz ein. In allen Gefährdungen und Konflikten bewährt sich die Stetigkeit ihres Charakters und die Eigenständigkeit ihres empathischen Wesens.

Entscheidende Nuancierungen und Farbgebungen erhält dieses Porträt durch die Spiegelung und Kontrastierung mit anderen Charakteren des Romans. Das wohl prägnanteste Ergebnis dieser Kompositionstechnik in *IRRUNGEN, WIRRUNGEN* ist zweifellos Frau Dörr, die man auch als **Lenes Komplementärschatten**[67] bezeichnet hat. Von Frau Dörr ist bekannt, dass sie vor Jahren eine intime Beziehung zu einem alten Grafen gehabt hat. Die Parallelen dieser Bekanntschaft zur Liebesbeziehung von Lene und Botho werden von der Dörr schon frühzeitig gesehen: ›[...] **sehen Sie, liebe Frau Nimptsch, ich war ja woll eigentlich größer und anziehlicher als die Lene, un wenn ich auch nicht hübscher war (denn so was kann man nie recht wissen, un die Geschmäcker sind so verschieden), so war ich doch so mehr im Vollen, un das mögen manche.** [...]‹ (IW, 5 f./9/7). Dieser erste Auftritt der Dörr stimmt gleich auch jenen Grundgestus an, der ihr Sprechen über delikate Lebensverhältnisse leitmotivisch begleiten wird: Ihr ständiges, mehr oder weniger verdecktes Rekurrieren auf die sexuellen Aspekte eigener und anderer Liebesbeziehungen: ›**Un da reichen ja keine hundert Mal, daß ich ihm gesagt habe: »Ne ne, Graf, das geht nicht, so was verbitt' ich mir ...« Und immer die Alten sind so. Und ich sage bloß, liebe Frau Nimptsch, Sie können sich so was gar nich denken. Gräßlich war es.** [...]‹ (IW, 6/9/8).

Dass es so grässlich, wie sie es schildert, nicht gewesen sein kann, legt das nie erlahmende Interesse der Dörr an dieser Thematik mehr als nur nahe. Bei anderer Gelegenheit, Botho und Lene haben die Dörr zu einem Spaziergang mitgenommen, kommt diese bei jeder sich bietenden Gelegenheit auf das heikle Thema zu sprechen. So berichtet sie von ihrer Vorliebe für **wuppende Betten** (IW, 55/53/54), von einem Storch, der auffällig in die Richtung der Spaziergänger schauen würde, aber sie keineswegs meinen könne und von dem großen Vergnügen, einen Stengelkranz zu flechten: ›[...] **Jott, das macht immer so viel Spaß, wenn man den einen Stengel in den anderen piekt,** [...]‹ (IW, 56/53/55).

Zu diesem Bewusstseinsprofil passt die einleitende Charakteristik der Figur durch den Erzähler, der Frau Dörr nicht nur als eine **robuste, sondern vor allem auch eine sehr stattlich aussehende Frau, die, neben dem Eindruck des Gütigen und Zuverlässigen, zugleich den einer besonderen Beschränktheit machte** (IW, 4/8/6), einführt. Die offensichtliche Beschränktheit und Indolenz der Gärtnersfrau, der zuletzt auch die kranke Frau Nimptsch zum Opfer fällt, nachdem die Dörr ihr mit Brachialgewalt eine Überdosis Digitalis in Form von Fingerhut zugeführt hat, ist freilich gepaart mit einer erstaunlichen Hellsichtigkeit in Liebesdingen. Die prophetische Einschätzung der Dörr, dass ihr alter Liebhaber viele Ähnlichkeiten mit Botho aufweise, lässt auch in Lene kurzzeitig die Ahnung aufsteigen, dass zuletzt **einer wie der andere [sei]** (IW, 58/55/58). Eine späte Erkenntnis, der kurz darauf die tiefe Enttäuschung und Bestätigung folgen soll, als Botho seine Geliebte in der Gesellschaft seiner Offizierskameraden verleugnet.

In der Person der Dörr mit ihrer frivolen Sinnlichkeit und berechnenden Lebensplanung wird ein Charakterzug verkörpert, der gerade die gesellschaftliche Dimension der Beziehung zwischen Botho und Lene grell beleuchtet, die der Erzähler beständig ausspart bzw. idealisiert und die schließlich mit umso größerer Macht über den Liebenden hereinbricht: Die gesellschaftliche Praxis, unstandesgemäße Beziehungen zwischen Adeligen und Bürgerlichen als sexuelle Abenteuer zu deklassieren, die nicht dem öffentlichen Moralkodex entsprechen. Lenes Erkenntnis, dass die Gesellschaft ihre Beziehung zu Botho nach diesen Wertungsmechanismen beurteilen wird, beschleunigt das Ende der Beziehung: ›**Ach, Botho, es war heute nicht so, wie's hätte sein sollen, und doch war niemand schuld** [...] **Aber daß es so ist, das ist eben das Schlimme daran.** [...]‹ (IW, 94/87/92).

Unter diesem Blickwinkel erscheinen die drei Prostituierten Königin Isabeau, Fräulein Margot und Johanna nebst männlicher Begleitung, denen Lene auf Hankels Ablage begegnet, als Zerrbilder einer Lebensform, die Lene nur mit Entsetzen betrachten kann, deren Realität ihr aber zugleich Menetekel einer möglichen unheilvollen Zukunft sind. Das Auftreten der Gesellschaft wird begleitet von den anzüglichen Bemerkungen der Offiziere und den abgestumpften, gleichgültigen Reaktionen ihrer Mätressen: **Das schlug ein und die zwei Jüngeren kicherten, obwohl sie bloß das Stichwort verstanden hatten. Isabeau dagegen, die bei solcher antippenden und beständig in kleinen Anzüglichkeiten sich ergehenden Sprache groß geworden war, blieb vollkommen würdevoll** (IW, 87/80/84). Die von Königin Isabeau im Gespräch mit Lene vorgetragene Utopie eines bürgerlichen Lebens nach der Prostituiertenexistenz erinnert en Detail an die Lebensgeschichte der Dörr:

›[...] Wahrhaftig, je bälder man wieder 'raus ist, desto besser. Ich kaufe mir denn (denn das Geld krieg ich) 'ne Dest'lation und weiß auch schon wo und denn heirat ich mir einen Wittmann und weiß auch schon wen. Und er will auch. Denn das muß ich Ihnen sagen, ich bin für Ordnung und Anständigkeit und die Kinder orndtlich erziehn und ob es seine sind oder meine, is janz egal [...]‹ (IW, 91/84/89).

Eher eine Doppelgängerin Lenes und kein Komplementärschatten wie die Dörr scheint die Geliebte Bogislaw von Rexins, die schwarze Henriette zu sein, ein bürgerliches Verhältnis des Vetters von Botho, wobei es sich nach Aussage des Verwandten **nicht um das Übliche, sondern um einen Ausnahmefall handelt** (IW, 165/148/159), also um einen vergleichbaren Fall wie bei Botho und Lene. Wenngleich der etwas anrüchige Name der Angebeteten erneut eher auf das Halbweltmilieu zu verweisen scheint, spiegeln sich in den von Bogislaw beschriebenen Charaktereigenschaften der Geliebten die Wesenszüge Lenes wider: › **[...] ich kann ohne sie nicht leben, sie hat es mir angetan und ihre Natürlichkeit, Schlichtheit und wirkliche Liebe wiegen mir zehn Komtessen auf**‹ (IW, 166/149/160). Ob der junge Bogislaw von Rexin sich für diese Frau entscheiden wird, bleibt unklar. Seine Neigungen und Absichten jedenfalls gehen mehr in die Richtung einer unstandesgemäßen Verbindung als dies bei Botho im Fall Lene war, der ihm auch von einer Verbindung mit einem ›Verhältnis‹ abrät.

Nur Kontrastierungen, aber keine Spiegelungen zu Lene sind in der Figur der Käthe von Sellenthin angelegt, die frühzeitig vom Erzähler als übermächtige Rivalin eingeführt wird. Die Gesprächssituationen, in denen Botho nach der Eheschließung mit Käthe gezeigt wird, vermitteln die Gegensätzlichkeit dieser Figur, die als Kontrafaktur zu Lene Nimptsch gestaltet ist. Die von Botho an Lene so geschätzten Charaktereigenschaften verkehren sich bei Käthe nun in ihr reines Gegenteil. War Lene von großer Ernsthaftigkeit und zurückhaltender Sinnlichkeit, so ist Käthe ein albernes Geschöpf, das erotisch anfällig ist. Lenes natürliche Zurückhaltung und sensible Anteilnahme wandeln sich nun bei Käthe zu gespreiztem Übermut und Beifall heischender Oberflächlichkeit. Während Lene sich um eine neue Wohnung sowie alle anderen lebenspraktischen Angelegenheiten selbst kümmert, überlässt Bothos Gattin die Einrichtung der neuen Wohnung ihrer Mutter und lebt unbekümmert in den Tag hinein. Die Briefe von seiner Frau manifestieren sich in Bothos Bewusstsein als **undeutliche**[s] **Gekritzel** (IW, 138/124/133), in denen beständig Nichtigkeiten und Albernheiten mitgeteilt werden, während Lenes Briefe eine klare, fast kalligrafische Handschrift hatten und von schelmischem Erfindungsreichtum und Stilbewusstsein geprägt waren. **[...] She is rather a little silly** (IW, 132/119/127), lautet denn auch der knappe Befund des

Offizierskameraden Pitt nach einem Besuch bei dem jungvermählten Ehepaar.

Nicht weniger differenziert und umfassend fällt das durch Figurenrede gestaltete Bild der zweiten Hauptfigur in FONTANES Roman aus. Ähnlich wie bei Lene Nimptsch wird auch die Figur des Botho von Rienäcker durch eine Fülle von Kontrastierungen und Spiegelungen kommentiert, ausdifferenziert und profiliert. Analog zu Lene erlangt der Leser über diesen Romancharakter bereits Informationen, bevor er überhaupt in Erscheinung tritt. Erneut ist es Frau Dörr im Gespräch mit der alten Nimptsch, die hier das Feld absteckt. Das Faszinierende an diesem ersten, scheinbar unbedeutenden Dialog ist, dass in diesem Gespräch eine tiefgründige und weitsichtige Verortung des Charakters Botho von Rienäcker gelingt, hinter die der Erzähler im weiteren Verlauf der Geschichte nicht mehr zurückgeht. Die wenigen Äußerungen und Reflexionen der beiden Frauen, die mitgeteilt werden, beschreiben Botho als einen ambivalenten, gebrochenen Charakter. Während die alte Nimptsch stets betont, ›[...] **der is nicht so** [...]‹ (IW, 5/9/7), führt die Dörr ihre eigenen Erfahrungen ins Feld: ›[...] **mein Graf** [...] **war auch man ganz simpel und bloß immer kreuzfidel un unanständig** [...]‹ (IW, 6/9/8).

Die Ambivalenz, von der gesprochen wird, lässt sich präzisieren. Wenn die alte Nimptsch von der Andersartigkeit Bothos spricht, dann meint dies zunächst, dass Botho sich positiv von seinen Offizierskameraden unterscheidet, die in Gestalt von Balafré, Pitt und Serge jene negativen Klasseneigenschaften repräsentieren, von denen die Dörr ein Lied zu singen weiß: Überheblichkeit, Geschwätzigkeit sowie Verschwendungs- und Vergnügungssucht. Rienäcker **ist zweifellos weniger borniert und tiefgründiger angelegt als seine Standesgenossen. Kunstinteresse und Kritikfähigkeit unterscheiden ihn in erster Linie von seinen Freunden und deren entleertem Müßiggang.**[68] Er liebt Lene, seine emotionale Bindung zu ihr unterscheidet diese Liebesbeziehung grundlegend von den ›Verhältnissen‹, welche die Offizierskameraden unterhalten. Die gesellschaftliche Ordnung, die hinter dieser dekadenten Alltagspraxis steht, vermag er freilich nicht zu überwinden, denn er schätzt es, – trotz seiner Ausbruchsfantasien – ein Teil von ihr zu sein. So kommt es auch zu der Kränkung Lenes, die er der Mätressenwirtschaft seiner Waffenbrüder ohne viel Federlesen zuschlägt. Sein Verhalten demaskiert ihn schließlich und bestätigt Lenes trüben Verdacht, dass er letztlich auch nicht anders sei als die anderen, auch wenn sie niemandem die Schuld an der Trennung geben will und die Ereignisse den gesellschaftlichen Zwängen zuschreibt: **Alle schönen Männer sind schwach und der Stärkre beherrscht sie ... Und der Stärkre ... ja, wer ist dieser Stärkre? Nun entweder ist's deine Mutter, oder das Gerede**

der Menschen, oder die Verhältnisse. Oder vielleicht alles drei (IW, 33/33/33).
In realistischer Selbsteinschätzung seiner begrenzten personalen Möglichkeiten entscheidet Botho sich schließlich gegen Lene und für Käthe. Der Preis, den er für diese Konventionslösung zahlen muss, ist freilich hoch. Er ist nicht in der Lage, Lene zu vergessen, nicht zuletzt auch deshalb, weil seine junge Frau sich in so unvorteilhafter und auffälliger Weise von seiner früheren Geliebten unterscheidet und durch ihr albernes Verhalten ständig das positive Gegenbild Lenes heraufbeschwört. **Alles hat seine natürlichen Konsequenzen** (IW, 168/151/162), meint Botho zu Bogislaw von Rexin in einem vertraulichen Gespräch, womit dieser seinem Offizierskameraden zu verstehen gibt, dass die psychischen Folgen einer solchen unbewältigten Beziehung ernst zu nehmen sind.

In diesem Gespräch, das Bothos eigene Entscheidung zur Trennung von Lene im 14. Kapitel widerspiegelt, tritt der junge Vetter Bogislaw von Rexin in Erscheinung, der diesen in einer Liebesangelegenheit um Rat fragt. Rexin figuriert in diesem Gespräch als Doppelgänger Bothos, der die Situation, in der Botho sich vor Jahren selbst befand, erneut durchspielt. Anders als Botho damals reflektiert er aber intensiv die Möglichkeiten, seine bürgerliche Herzensdame zu ehelichen, und nimmt damit in Kauf, die Gesellschaft und auch seine Familie zu brüskieren. In der Figur des Bogislaw von Rexin werden jene Handlungsmöglichkeiten sichtbar, die Botho selbst nicht überdenken wollte oder konnte. FONTANE ist, wie Alexander Kluge treffend herausgestellt hat, **niemals in den Terror wirklicher Verhältnisse verliebt, sondern sucht nach Auswegen.**[69]

Den mutigen Schritt, ein Verhältnis zu einer Bürgerlichen zu legalisieren, unternimmt dagegen **Adalbert von Lichterloh, Regierungsreferendar und Leutnant der Reserve** (IW, 161/145/155), ein für die Vorzüge seiner bürgerlichen Geliebten offenbar ›lichterloh‹ entzündeter Junker, der eine gewisse Hildegard Holtze zum Traualtar führt. Dass er diese Anzeige auch noch in der Journaille öffentlich macht, die als der größte Hort des konservativen Preußentums gilt, nämlich der Kreuzzeitung, nötigt Botho, der gerade die Briefe Lenes zu Asche verbrannt hat, nachdenkliche Bewunderung ab: **Wundervoll. Und wahrhaftig, so zu sehn, wie sich's weiter lebt und liebt in der Welt, ist eigentlich das beste** (IW, 161/145/155). Hier hat einer offenbar jenen Mut bewiesen, den er selbst nicht gehabt hat, wie vielleicht auch Bothos mit leiser Resignation wiedergegebener Kommentar durchscheinen lässt.

Mehr ein Kontrastbild zu Botho, weniger Spiegelung, manifestiert sich zuletzt in der Gestalt des Sektierers Gideon Franke, einer Figur, die **komische Züge bis ins gnadenlos Karikaturhafte trägt**[70], wie Norbert Mecklenburg hervorhebt. Abseits dieser karikierenden Pinselstriche im Porträt der Romanfigur wird man allerdings die vielen positiven Charaktereigenschaften, die ihr zuerkannt werden, nicht übersehen dürfen. Franke wird als **ordentlicher und gebildeter Mann, von nicht gerade feinen, aber sehr anständigen Manieren** (IW, 123/112/119) geschildert. Sein Auftreten und Handeln ist – wie bei Lene – von großer Ernsthaftigkeit und Aufrichtigkeit geprägt. Als Lene ihm bei seinem Heiratsantrag beichtet, sie **hätte zweimal ein Verhältnis gehabt** (IW, 134/121/129), verlässt Franke wortlos, aber nicht zornig, den Raum und beschließt wenig später, Botho von Rienäcker in einem Gespräch unter vier Augen um eine Art Leumundszeugnis seiner zukünftigen Frau zu bitten. Bei diesem Gespräch verhält sich Franke sehr diskret und zurückhaltend, sodass Botho sogleich erkennt, dass Franke **ein Mann von Freimut und untadeliger Gesinnung** (IW, 143/129/138) sein müsse. Der Werkmeister gibt im Verlauf dieses Gespräches zu erkennen, dass ihn die Vorgeschichte seiner Braut nicht davon abhalten werde, diese zu heiraten. Wenngleich er seine Überzeugungen auch in einem für Botho befremdend predigerhaften Ton vorträgt, so zeigen **seine ganz auf eigenem Boden gewachsenen Anschauungen** (IW, 146/132/141) doch mehr moralische Substanz, Toleranz und Willensstärke als die seines schwachen Vorgängers, der sich kraft- und willenlos dem gesellschaftlichen Diktat unterworfen hatte.

Nimmt man resümierend beide Hauptfiguren und ihre Spiegelungen in den Blick, dann fällt auf, dass dem Charakter Lene Nimptsch durchweg negative und der Figur Botho von Rienäcker eher positive Gegenbilder zugeordnet werden. Diese Figurendisposition verdeutlicht somit auch, wo die erzählerischen Sympathien liegen: Lene wird ohne Einschränkungen als positiv-heldische Gestalt projektiert, während Botho zwar nicht als unsympathischer, aber doch als labiler, wankelmütiger Charakter mit überwiegend positiven Gegenbildern kontrastiert wird.

4.3 Symmetrische Architektonik – die Handlungskonstellationen

Fontanes episches Konstruktionsprinzip von Spiegelung und Kontrastierung gelangt auch bei der Modellierung der Romanhandlung in *Irrungen, Wirrungen* zur Anwendung, deren **wundervolle Gleichgewichtigkeit**[71] schon Conrad Wandrey gerühmt hat (Aspekt III der Realismusdefinition von Aust). Die Figuren- und Handlungskonstellationen dieses Romans sind eng miteinander verknüpft. Als Wendepunkt und Mittelachse des Textes kann die Episode, die in Hankels Ablage spielt, angesehen werden (11.–14. Kapitel). Sie markiert den Abschluss der Liebesgeschichte zwischen Botho und Lene wie auch zugleich den Anfang des Eheromans, der Bothos Verbindung mit Käthe von Sellenthin und Lenes weiteres Schicksal schildert. Die nachfolgenden Kapitel spiegeln und kontrapunktieren die Ereignisse des ersten Handlungsstranges, wie eine grafische Übersicht der Erzählkonstruktion zeigt (vgl. Material 4).

Auch der Umfang der beiden Erzählepisoden zeigt, dass FONTANE mit planvoller Überlegung an die Komposition dieses Textes gegangen ist: den 105 Seiten der Liebesgeschichte – nach der Seitenzählung der Reclam-Ausgabe – stehen 75 Seiten Eheroman gegenüber. In Prozentzahlen ausgedrückt heißt das: gut 58 % des Romantextes entfallen auf den ersten Teil und knapp 42 % auf den zweiten. Man wird also, wenn auch nicht unter arithmetischer Maßgabe, so doch aus erzählerischem Blickwinkel, von zwei gleich gewichtigen Handlungssträngen sprechen können.

Die Anordnung der Kapitel im zweiten Romanteil folgt, von produktiven Abweichungen abgesehen, einem linearen Erzählablauf, wobei besonderes Augenmerk auf die Spiegelungen und Parallelisierungen zu richten ist. So entspricht die im 16. Kapitel beschriebene Wohnungsnahme der jungvermählten Rienäckers mit ihren topografischen Detailschilderungen dem Eingangskapitel des Romans. Die Berichte von der Hochzeitsreise des Paares nach Dresden im 16. und 17. Kapitel sowie die Tanzeinlage Käthes korrespondieren mit Lenes Traumreise in die Sächsische Schweiz (Dresden) und dem improvisierten Ball in Kapitel 4. Daneben werden die Brieflektüren in den Kapiteln 6 und 20 gespiegelt, die Besuche von Onkel Kurt und Gideon Franke in Kapitel 7 und 20, die beiden Ausflüge in Kapitel 9 und 21 sowie die Problemerörterung der ›Verhältnisse‹ von Botho und Bogislaw in den Kapiteln 14 und 23, deren metaphorische Dopplung FONTANE bis in die Symbolik der Namensinitialen hineingetragen hat (BvR).

Ergänzt und ausdifferenziert werden die am linearen Erzählverlauf orientierten symmetrischen Analogiebildungen durch eine asymmetrische Kombinatorik von Einzelszenen, die diesem narrativen Gerüst eine Prise kreativer Unregelmäßigkeit verleiht. Zu erinnern ist hier vor allem an die Spiegelungen in den Kapiteln 3 und 26, wo man sich beide Male über vermeintlich komische Namen amüsiert, oder die süffisanten Erörterungen der Offizierskameraden über Botho und seine Beziehungen zu Frauen (Kapitel 8 und 18) sowie die geschwätzigen Damenzirkel auf Hankels Ablage (Kapitel 13) und in einem Schlangenbader Kurhotel (Kapitel 26).

Auf diese Weise entsteht ein architektonisch klar gegliedertes und zugleich beziehungsreich verknüpftes Textgebilde, in dem nicht nur die beiden Erzählstränge des Liebes- und Eheromans organisch miteinander verwoben sind, sondern das zugleich auch in faszinierender Detailschärfe epische Momentaufnahmen von einzelnen Personen und Situationen in vieldeutiger Optik gestattet. FONTANES durchdachte epische Großflächigkeit und sein Nuancenreichtum verbinden sich hier erneut mit den Gestaltungsformen der impressionistischen Malerei, die ebenfalls **eine fortwährend verfeinerte Meisterschaft in der Darstellung des Atmosphärischen ausgebildet [hat].**[72]

4.4 Sprechende Orte – zur Symbolik der Topografie

Fontane ist kein Dichter der Landschaft[73] hebt Peter Demetz in seinem FONTANE-Buch hervor. Das mag stimmen, dennoch wäre die Einschätzung, dass die literarischen Landschaften, in denen FONTANES Figuren agieren, unbedeutend für das Verständnis seiner Texte sind, ganz und gar falsch. Im Gegenteil, die inneren Topografien seiner Figuren sind nicht selten mit großer Präzision und kaum verhüllter Symbolkraft ihren Handlungsräumen eingeschrieben, wie gerade das Beispiel von *IRRUNGEN, WIRRUNGEN* deutlich macht (Aspekte I und III der Realismusdefinition von Aust, s. S. 22).

Zu Beginn des Romans heißt es über den Ort, an dem das Geschehen spielt:

> **An dem Schnittpunkte von Kurfürstendamm, und Kurfürstenstraße, schräg gegenüber dem ›Zoologischen‹, befand sich in der Mitte der siebziger Jahre noch eine große, feldeinwärts sich erstreckende Gärtnerei, deren kleines, dreifenstriges, in einem Vorgärtchen um etwa hundert Schritte zurückgelegenes Wohnhaus, trotz aller Kleinheit und Zurückgezogenheit, von der vorübergehenden Straße her sehr wohl erkannt werden konnte. Was aber sonst noch zu dem Gesamtgewese der Gärtnerei gehörte […], war durch ebendies kleine Wohnhaus wie durch eine Kulisse versteckt** (IW, 3/7/5).

Mit dieser Ortsbeschreibung werden zugleich Hinweise auf wichtige Konfliktfelder und dramatische Engführungen der zukünftigen Handlung gegeben. Von symbolischer Bedeutung ist zunächst das Motiv des Verbergens, mit dem der Erzähler eingangs ein beziehungsreiches Spiel treibt: **Lenes und Bothos Liebe vollzieht sich heimlich, im öffentlichkeitsfernen Ort der Gärtnerei, der dennoch dem Blick und Zugriff der gesellschaftlicher Wahrnehmung nicht entzogen ist.**[74] Die Liebesbeziehung der beiden ist von vornherein an Räume gebunden, die Abgeschiedenheit und Einsamkeit auszeichnet. Das Exterritoriale und Normverletzende ihres Verhältnisses wird damit sofort deutlich. Ihre Beziehung kann nur abseits der Öffentlichkeit an geschützten Plätzen wachsen und gedeihen. Die Tatsache, dass die Gärtnerei zu einem Treffpunkt der beiden Liebenden wird, fügt sich nahtlos in dieses Bild ein. Außerhalb dieses Geländes droht der verletzende Zu- und Eingriff urbaner Lebensformen, mithin die gesellschaftliche Verurteilung der Beziehung als ›Verhältnis‹. In subtiler begrifflicher Dialektik kann Botho nur im Verborgenen seine wahren Gefühle zeigen. Sobald seine Beziehung öffentlich wird, maskiert er sich und seine Emotionen.

Das ausgreifende, invasive Wachstum der benachbarten Stadtlandschaft signalisiert nicht nur, dass dieses ländliche Refugium bedroht ist, sondern auch die Liebe des ungleichen Paares, das sich an diesem arkadischen Ort trifft. Der Prozess der zunehmenden Verstädterung symbolisiert damit zugleich auch, wie die gesellschaftlichen Zwänge immer mehr an Einfluss gewinnen und die Beziehung der beiden Liebenden bedrohen.

Nicht weniger aufschlussreich ist die Beschreibung der Wohnung, die Botho von Rienäcker in der Bellevuestraße angemietet hat. Über die Ausstattung der Zimmer wird gesagt, dass diese **sich sämtlich durch eine geschmackvolle, seine Mittel ziemlich erheblich übersteigende Einrichtung auszeichneten** (IW, 34/34/35). Rienäckers besondere Leidenschaft gilt der Kunst, wie eine wertvolle Sammlung von Stillleben und Landschaftsbildern bezeugt, die in den Zimmern der Wohnung hängen. Ein ungeordneter Haufen von Tageszeitungen, angefüllt mit **Geschichten, die den Stempel der Erfindung an der Stirn trugen** (IW, 35/35/35), und ein tyrannischer Kanarienvogel komplettieren das Interieur der Wohnung, deren Einrichtungsstil vor allem Rückschlüsse auf das Sozialmilieu seines Bewohners und die ökonomische Situation seiner Klasse erlaubt. Kurt Sollmann hat mit einiger Berechtigung darauf hingewiesen, dass diese Wohnsituation vor allem eines verdeutlicht:

> **Das zeitsymptomatische Missverhältnis von Schein und Sein, von demonstriertem Lebensstil und realer Lage, das besonders die untere und mittlere Adelsschicht im sozioökonomischen Umbruch der industriellen Entwicklung betrifft. Der erwarteten und abverlangten Repräsentation kommt zunehmend die ökonomische Basis abhanden.**[75]

Darüber hinaus dokumentiert dieser Lebensstil, der sich in der Wohnungseinrichtung manifestiert, auch Rienäckers Bindung an seinen Stand. Die Vorstellung von einer Überwindung des Klassengegensatzes und einer Verbindung mit Lene artikuliert sich als realitätsferner Wunschgedanke in der ›schönen Aussicht‹ (Bellevuestraße) vom Balkon seiner Wohnung auf die Gärtnerei, in der Lene Nimptsch mit ihrer Pflegemutter wohnt. Bothos Vorliebe für den gesellschaftlichen Klatsch bezeugt die ausdauernde Lektüre der einschlägigen Gazetten, die verstreut auf seinem Sofa liegen. Auch diese Tätigkeit verdeutlicht die Dekadenz seines Standes, der sich einem entleerten Müßiggang hingibt, und antizipiert bereits die ermüdende Gesprächigkeit und Amüsierfähigkeit seiner späteren Frau Käthe von Sellenthin.

Als drittes Beispiel für Fontanes ›sprechende Orte‹ sei auf den Ausflugsort ›Hankels Ablage‹ hingewiesen, der die Erfüllung, aber auch die Zerstörung des Liebesglücks von Lene und Botho bringt. Die Symbolik dieses Schauplatzes greift die latente Ambivalenz der Beziehung zwischen den Liebenden und die Gebrochenheit der Hauptcharaktere auf. Einerseits steht dieser ›liebliche Ort‹ (locus amoenus), der in der Tradition literarischer Topoi verankert ist, für ungetrübtes Liebesglück und ein harmonisches Zusammensein des Paares, das im Einklang mit der Außenwelt steht. Andererseits destruieren die Ereignisse diese Utopie des Glücks im weiteren Verlauf des Aufenthaltes immer weiter, bis mit dem Eintreffen der Offizierskameraden die Katastrophe eintritt. Der Erzähler deutet diese dramatische Entwicklung mit immer subtileren Hinweisen und metaphorischen Wendungen an: Schon die eingangs der Episode genannte Bezeichnung **Etablissement** (IW, 66/63/65) für das Ausflugslokal symbolisiert frivole gesellschaftliche Erwartungen, die sich mit diesem Platz verbinden. Wenig später zerstört der Wirt Bothos romantische Vorstellungen im Hinblick auf die Namensgebung des Platzes. ›Hankels Ablage‹ ist im wahrsten Sinne des Wortes eine Ablage, eine Anlegestelle, an der früher Waren für die umliegenden Dörfer aus- und eingeladen wurden. Auch der Glaube an die pittoreske Friedlichkeit des idyllischen Ortes wird schließlich vom Wirt untergraben: ›Hankels Ablage‹ ist eine Touristenattraktion, die über das ganze Jahr fürchterliche Urlauberschwemmen verkraften muss, deren Versorgung die Wirtsleute bis zur physischen und psychischen Erschöpfung treiben. Als der Wirt Botho diese Erklärungen liefert, bekennt er ernüchtert: **Ein Glück nur, daß ich von dem allen nicht gewußt habe, sonst hätt' ich gar nicht den Mut gehabt und wäre fortgeblieben** (IW, 78/76/72).

Verunsicherung, Ernüchterung, aber auch Glückseligkeit kennzeichnen die Erfahrungen und Gefühle, die Lene während des Aufenthaltes bewegen. Während sie einerseits den gemeinsamen Ausflug mit ihrem Geliebten genießt und sich von seinen zärtlichen Zuwendungen fortreißen lässt, überkommen sie zwischenzeitlich immer wieder melancholische Stimmungstrübungen, die das Ende des Liebesglücks und der Beziehung ankündigen. So lehnt sie es ab, in ein Segelboot mit dem Namen ›Hoffnung‹ zu steigen – **Was sollen wir mit der Hoffnung?** (IW, 69/64/67) – und reagiert verstört auf die Begleitung **der in durchaus irrigen Vermutungen befangenen Wirtin** (IW, 73/68/71), die das Unwohlsein ihres Gastes auf eine Schwangerschaft zurückführt.

Eine besondere Symbolbedeutung haben auch an diesem Ort wieder Bilder. Als Lene sich in ihre Giebelstube begibt, um auszuruhen, gewahrt sie Reprografien der berühmten Stiche von Emanuel Leutze (*Washington crossing the Delaware*) und Benjamin West (*The last hour of Trafalgar*), durch die das bevorstehende Ende der Liebesbeziehung in der Emblematik des Grenzübergangs (Leutze) und des Sterbens (West) vorweggenommen wird. Die Standeskluft zwischen Botho und ihr, die schließlich zur Trennung führt, konkretisiert sich beim Anblick der Gemälde nun auch als Bildungskluft: **Aber sie kam über ein bloßes Silbenentziffern nicht hinaus, und das gab ihr, so klein die Sache war, einen Stich ins Herz, weil sie sich der Kluft dabei bewußt wurde, die sie von Botho trennte** (IW, 79/74/78).

Ihre spätere Vereinnahmung in der Mätressenwirtschaft der Offizierskameraden Bothos wird ebenfalls durch ein Bild vorweggenommen. Die erotische Lithografie mit dem Untertitel *Si jeunesse savait*, die sie dicht neben ihrer Eingangstür bemerkt, weist kaum verhüllt darauf hin, dass sie sich in einem Liebesnest befindet, in dem wohlhabende Großbürger und Aristokraten sich mit ihren ›Verhältnissen‹ treffen. Es passt in den Kontext dieses Verweisungshorizontes, dass Lene sich erinnert, das Bild **in der Dörrschen Wohnung gesehen zu haben** (IW, 80/74/78). Die erotischen Anzüglichkeiten der beiden Dörrs und insbesondere Frau Dörrs frivole Vergangenheit mit dem lüsternen alten Grafen, von der sie stets halb schockiert und halb begeistert berichtet, erscheinen nun als beunruhigende Hintergrundfolie ihrer Gedankenwelt: **Ihre feine Sinnlichkeit fühlte sich von dem Lüsternen in dem Bilde wie von einer Verzerrung ihres eigenen Gefühls beleidigt** (IW, 80/74/78).

4.5 Schlüsselszenen und Leitmotive

Fontanes Roman hat eine ganze Reihe von erzählerischen Gelenkstellen und Leitmotiven, die vor allem eine planvolle didaktische Erschließung des Textes erleichtern. So gibt es etwa zahlreiche Schlüsselszenen, die durch ihre narrative Vieldeutigkeit und poetische Verdichtung die Architektonik der epischen Komposition umfassend widerspiegeln. Solche Scharnierstellen des Epischen sind das Eingangsgespräch zwischen Frau Dörr und Frau Nimptsch im 1. Kapitel, das Gespräch der Regimentskameraden im 8. Kapitel, die Szene der Landpartie nach ›Hankels Ablage‹, in der die Offiziere mit ihren ›Damen‹ auftreten (13. Kapitel), Gideon Frankes Besuch bei Botho von Rienäcker (Kapitel 20) oder das Gespräch zwischen Bogislaw von Rexin und Botho im 23. Kapitel. Neben diesen Szenen wird man sicher noch andere Schlüsselpartien des Textes nennen können, wie etwa Bothos Brieflektüren, man wird diese Szenen aber nicht mit dem hermeneutischen Erschließungspotenzial der genannten Szenenausschnitte vergleichen können – als Beispiel kann dies eine exemplarische Analyse des 8. Kapitels verdeutlichen (Aspekte I, II und III der Realismusdefinition von Aust, s. S. 22).

Das Gespräch der Offiziere Serge, Pitt und Wedell im Klub füllt das gesamte 8. Kapitel. Zunächst trifft man die Offiziere Pitt und Serge beim Kartenspielen, die sich über den neuesten Klatsch, der die Runde macht, unterhalten: Eine Zirkusartistin heiratet, ein Offizierskollege wechselt in den

Generalsstab. Alle diese Nachrichten werden herabwürdigend kommentiert und gelangweilt diskutiert. Man erkennt, dass diese Gesellschaft vor Langeweile kaum noch weiß, was sie machen soll. Aus diesem Grund wird auch die Ankunft eines weiteren Kameraden lebhaft begrüßt, verheißt sie doch Abwechslung vom ermüdenden Einerlei der zur Formelhaftigkeit erstarrten Konversation. Der Hinzukommende ist Leutnant von Wedell, der kurz zuvor mit Botho und dessen Onkel im Restaurant Hiller diniert hatte. Wedells Bonmot, dass Botho **vor einer scharfen Ecke** stehe (IW, 51/49/50), weckt sofort Neugier und gibt Anlass zu allerlei Spekulationen. Die beabsichtigte Verheiratung des jungen Rienäckers mit Käthe von Sellenthin wird von den Anwesenden als gute Partie taxiert, die geeignet ist, die chronische Finanzschwäche des Rienäcker'schen Hauses zu beheben: **Er [Botho, Anmerkung RW], hat 9000 jährlich und gibt 12000 aus** (IW, 51/49/51).Wedells Einwand, dass Botho anderweitig gebunden sei, wird von Pitt mit der Einschätzung beantwortet: **Die Verhältnisse werden ihn zwingen und er wird sich lösen und frei machen, schlimmstenfalls wie ein Fuchs aus dem Eisen** (IW, 53/50/52).

Diese Szene, unmittelbar vor dem 9. Kapitel, in dem Bothos Spaziergang mit Lene und Frau Dörr beschrieben wird, antizipiert Rienäckers Entscheidung aus der Perspektive seiner eigenen Klasse und beschreibt die untergründige Wirksamkeit jener gesellschaftlichen Kräfte, die ihren Einfluss schon zu einem Zeitpunkt ausüben, an dem die Handelnden davon selbst noch nichts wissen. Das Geschehen im Klub zeigt, dass Rienäcker seinem Stand weitaus stärker verhaftet ist, als er selber wahrhaben will. Die dekadenten Lebensformen seiner Offizierskameraden unterscheiden sich nur partiell von seinen eigenen Gewohnheiten, ihre Denkungsart ist der seinen verwandt.

Subtile Vorwegnahme ist auch die Charakterisierung Bothos durch Leutnant von Wedell, der ihn als **›[...] schwach und bestimmbar und von einer seltenen Weichheit und Herzensgüte‹** (IW, 52/50/52) beschreibt. Schon Lene hatte zuvor eine gleich lautende Charakteristik ihres Geliebten abgegeben und hellsichtig hinzugefügt: **Ihr kennt ja nur euch und euren Klub und euer Leben** (IW, 34/34/34). Nun wird dasselbe Urteil über ihn auch von seinen Standesgenossen gefällt, wobei die Motivation für dieses Verdikt, wie Sollmann hervorhebt, wohl auch in der Verachtung alles Plebejischen durch diese ›Kriegerkaste‹ liegt, dem Botho – ganz unziemlich für sein Klassenbewusstsein – gerade Sympathie entgegenbringt: **Gehört doch zur Exklusivität des Offizierskorps gerade die Verachtung des Volkes, antidemokratische Abgrenzung und kompromißlos-brutale Verteidigung des feudalen Status quo.**[76]

Die Vieldeutigkeit und der Beziehungsreichtum dieser Szene wird

schließlich sichtbar in den vielen Spiegelungen, Doppelungen und Kontrastierungen mit anderen Romanszenen: So korrespondiert Wedells Urteil mit dem von Lene im 5. Kapitel, eine Spiegelung der Szene findet sich daneben im 18. Kapitel, als die Offizierskameraden bei den Rienäckers eingeladen sind und anschließend Bothos Ehesituation erörtern. Deutliche Verbindungslinien gibt es auch zum 14. Kapitel, in dem geschildert wird, wie Botho seine Situation überdenkt und sich zur Trennung von Lene entschließt, und schließlich auch zum 23. Kapitel, welches das Gespräch mit Bogislaw von Rexin wiedergibt, in dem Botho das kollektive Bewusstsein seines Gesellschaftstandes erneut zum Ausdruck bringt und als Handlungsmaxime empfiehlt.
Nicht weniger bedeutsam für das Verständnis von *Irrungen, Wirrungen* sind neben den narrativen Gelenkstellen einzelne Leitmotive, die tief in das Romangeschehen eingeschrieben sind. Zu nennen sind etwa das Traum- oder Märchenmotiv, das Maskenmotiv oder das Mesalliance-Motiv. Auf die herausragende Rolle des Mesalliance-Motivs – insbesondere auch in den beiden Nachbarwerken *Stine* und *Cécile* – ist in der Vergangenheit immer wieder hingewiesen worden, aber bis zu der Studie von Xiaoqiao Wu ist das luzide erzählerische Verweissystem, das um dieses Leitmotiv herum in *Irrungen, Wirrungen* errichtet worden ist, unerkannt geblieben.

Mit dem Begriff Mesalliance werden ganz allgemein alle unstandesgemäßen Beziehungen belegt. Xiaoqiao Wus umfassende sozialgeschichtliche Recherchen zeigen, dass die Mesalliance **im adligen Eheleben [...] der preußischen Ständegesellschaft eine lange Vorgeschichte [hat]**.[77] Die gesellschaftliche Praxis der so genannten morganatischen Ehe, einer eheähnlichen Verbindung, bei der die Kinder aus einer Beziehung nur die gesellschaftlichen Rechte des nicht-aristokratischen Partners (in der Regel die Frau!) erben, hatte bis zu den Anfängen der Weimarer Republik Gültigkeit. In das erzählerische Verweissystem des Berliner Romans *Irrungen, Wirrungen* wird dieses Motiv vor allem über die Symbolik der linken und schrägen Positionierung implementiert, die auf das Thema der Mesalliance hinweist.[78] An vielen Stellen des Textes wird in auffälliger Weise auf diese Attribuierungen rekurriert: Die Dörr'sche Gärtnerei steht **schräg gegenüber dem ›Zoologischen‹** (IW, 5/7/5), die ständig offen stehende Tür des Areals ist **hart an der linken Ecke** (IW, 5/7/5) gelegen und ein **schief stehende[r] Wegweiser** (IW, 66/63/65) beschreibt die Route zu ›Hankels Ablage‹, wo der Wirt Lene eine Giebelstube mit **Dachschrägung** (IW, 79/73/77) zuweist.

Die Textanalyse gewinnt zusätzlich an Überzeugungskraft, wenn man das feine Beziehungsgeflecht der im Roman auftretenden Figuren näher betrachtet (Material 2). Es zeigt sich nämlich, dass beinahe alle Akteure des

Romans über ein (geheimes) Netz von Mesalliancen miteinander verbunden sind. FONTANES episches Prinzip der Spiegelung gelangt offensichtlich bei der Situierung dieses Leitmotivs ebenfalls zur Anwendung. Und schließlich wird man ergänzend hinzufügen, dass auch die biografischen Kenntnisse, die man über den Autor gewonnen hat, für eine planvolle Verwendung dieser Allusionstechnik sprechen: FONTANE hat aus eigener Anschauung erfahren, welche Auswirkungen es haben kann, in der Wilhelminischen Klassengesellschaft Mesalliancen zu unterhalten (vgl. Kap. 3.2 dieses Bandes).[79]

Aus didaktischem Blickwinkel eignen sich narrative Verdichtungen wie Schlüsselszenen besonders für Kernstellenanalysen, in denen der mikroskopische Blick auf den Text mit übergreifenden Deutungen verbunden werden kann. Eine solche Kernstelle, die hier einer exemplarischen Analyse unterzogen werden soll, ist ein Ausschnitt des Gesprächs zwischen dem Baron Osten, Bothos Onkel, sowie dem Leutnant Wedell und Botho im Restaurant Hiller. Die betreffende Passage im 7. Kapitel beginnt mit dem Erzählerkommentar: ›**Botho sah den Onkel verlegen an** [...]‹ (IW, 46/45/46). Sie endet mit dem Kapitelschluss: ›**Einen Heidsick. Beste Marke**‹ (IW, 47/46/47).

Bemerkenswert an dieser Episode sind die zahlreichen Vernetzungen mit anderen Erzählpassagen und die Darlegung der Glücksvorstellungen des Barons von Osten. Die von einem guten Schluck Chablis gelöste Zunge des jovialen Onkels verrät so ziemlich alle Familiengeheimnisse der Rienäckers und enthüllt die Glückskonzepte dieser herrschenden Klasse. Zugleich exponiert dieses Gespräch den eigentlichen Konflikt der Handlung: Botho ›**verplempert sich** [...] **mit einer kleinen Bourgeoise**‹ (IW, 47/46/47), während auf ihren ostelbischen Gütern die reiche und schöne Käthe von Sellenthin auf den Heiratsantrag Bothos wartet.

FONTANE greift mit diesem Thema einen luziden Hinweis aus dem vorangehenden Kapitel auf, das die Eifersucht Lenes schildert, als diese während einer Parade Botho mit einer »**schönen Blondine**« (IW, 37/36/37) sieht. Die leicht anzügliche Charakteristik der Braut durch den Onkel – ›**ne bessre findest du nicht, Zähne wie Perlen und lacht immer, dass man die ganze Schnur sieht. Eine Flachsblondine zum Küssen**‹ (IW, 46/44/46) – verrät dem aufmerksamen Leser zudem das markanteste Merkmal dieser attraktiven, heiratswilligen Adligen: ihre naive Albernheit.

Dem nicht genug, analysiert der gesprächige Onkel bei dieser Gelegenheit auch gleich die desolaten finanziellen Verhältnisse der Familie Rienäcker und gibt durch diese Ausführungen unmissverständlich zu verstehen, dass die Ehe nichts anderes als eine Versorgungsheirat ist, die Botho und seine ruinöse Verwandtschaft sanieren soll: ›**Sie sind reich, lieber Wedell,**

und mit ihnen pressiert es am Ende nicht. Aber sehen Sie sich unseren Freund Botho an. Daß er so wohlgenährt aussieht, das verdankt er nicht seiner Sandbüchse, die, ein paar Wiesen abgerechnet, eigentlich nichts als eine Kiefernschonung ist, und noch weniger seinem Muränensee‹ (IW, 46/45/46). Der ironische Hinweis auf Sandbüchse und Muränensee wiederholt sich wenig später in dem besorgten Brief der Mutter, die Botho von der desolaten Lage der Familienkasse und den respektlosen Äußerungen der Mutter Sellenthin in Kenntnis setzt; diese habe nämlich wenig rücksichtsvoll geäußert: ›**Käthe werde nun zweiundzwanzig, habe den Ton der großen Welt und verfüge mit Hilfe der von ihrer Tante Kielmannsegge herstammenden Erbschaft über ein Vermögen, dessen Zinsbetrag hinter dem Kapitalsbetrag der Rienäckerschen Heide samt Muränensee nicht sehr erheblich zurückbleiben werde**‹ (IW, 98/90/95).

Dass diese Heirat offenbar von den Eltern schon abgesprochen wurde, als die zu Verheiratenden noch Kinder waren, verleiht dem Vorgang die beinahe groteske Dimension eines ›Kuhhandels‹. Die Finanzanalysen des Onkels münden schließlich sogar in familiäre Charakteranalysen, die auch noch die personale Urheberschaft dieses ökonomischen Fiaskos enthüllen:

> ›**Wie liegt es denn? Dein Großvater hat die Heide 'runterschlagen lassen und dein Vater selig [...] hat die fünfhundert Morgen Bruchacker an die Jeseritzer Bauern parzelliert [...] (V)orläufig hat die Mama, meine Frau Schwester Liebden, das Ganze noch in Händen, eine prächtige Frau, klug und gescheit, aber auch nicht auf die sparsame Seite gefallen**‹ (IW, 47/46/47).

Diesen feudalen Glückskonzeptionen und Skandalchroniken korrespondieren die landsknechtartigen Sprachformeln des martialischen Onkels, der von Etikette nicht viel zu halten scheint: ›**Diskretion. Unsinn**‹ (IW, 46/45/46). Symptomatisch für den Gesprächsverlauf, der über weite Strecken eher ein Monolog des Onkels als ein Gespräch zu sein scheint, ist zuletzt auch das abrupte Ende, in dem der eigentlich Betroffene – nämlich Botho – gar nicht zu Wort kommt oder nach seiner Meinung gefragt wird. Bereits hier zeigt sich, dass Rienäcker durch die gesellschaftlichen Zwänge fremdbestimmt wird und keine Gelegenheit hat, eine eigene Entscheidung zu treffen, denn zuletzt heißt es gleichsam apodiktisch aus dem Munde des Onkels: ›**Hab ich recht? Natürlich. Abgemacht**‹ (IW, 47/46/47). Wie sein Glück aussieht, wird Botho gleichsam über das Klassenbewusstsein in Gestalt des Onkels vermittelt; seine eigenen, ganz persönlichen Lebenswünsche finden keine Berücksichtigung.

Abschließend kann festgehalten werden: Die Detailanalyse dieser Passage exponiert nicht nur den eigentlichen Konflikt des Geschehens, Bothos

Heiratsverpflichtung gegenüber Käthe und seine Neigung zu Lene, sondern enthüllt auch die brüchigen Machtstrukturen einer Feudalgesellschaft, die sich in einem fortschreitenden Auflösungsprozess befindet. Aus didaktischem Blickwinkel können diese zentralen Erkenntnisse über eine Analyse der Glücksvorstellungen des Barons von Osten und ihre Widerspiegelungen in anderen Erzählpassagen (Brief der Mutter im 14. Kapitel, Lenes Eifersucht und ihre Verlustahnung im 6. Kapitel, das Gespräch der Offizierskameraden im 8. Kapitel) erarbeitet werden.

4.6 Perspektivische Spiegelungen – Sprache und Erzähler

FONTANES sprachlicher Gestaltungswille artikuliert sich nicht nur in großflächigen epischen Verweissystemen wie in der Leitmotivtechnik, sondern vielleicht noch intensiver in kleinflächigen, mikroskopischen Erzählkontexten: etwa in den Alltagsgesprächen der Personen, in den Dialogen, in einzelnen, hingeworfenen Floskeln. Mittenzwei hat in diesem Zusammenhang festgestellt: **Was jene menschlichen Verhältnisse betrifft, so reflektiert sie der ironische Spiegel des gesprochenen Wortes, noch ehe sie sich in ihrer wahren Gestalt zeigen.**[80] Die Sprache ist für den märkischen Autor gleichsam wie eine empfindliche Sonde, mit der er die untergründigen Verletzungen, krankhaften Wucherungen, aber auch die vitalen Funktionen des Wilhelminischen Gesellschaftskörpers an ausgesuchten fiktionalen Figuren studiert (Aspekte I und III der Realismusdefinition von Aust, s. S. 22).

So kann es nicht überraschen, dass FONTANE seinen Figuren ganz unverwechselbare, aussagekräftige Sprachkleider auf den Körper geschnitten hat. Allen anderen Gestalten voran sind die beiden Hauptfiguren durch ihren Sprachgebrauch charakterisiert. Lene Nimptsch spricht **ein schlichtes, aber von Berolinismen durchaus freies Hochdeutsch und ist dadurch auf unmerkliche Weise über die anderen Bewohner der Gärtnerei hinausgehoben.**[81] Eine Schlüsselstellung im Sprachverhalten der Akteure spielt der so genannte Begriff der **Redensartlichkeit** oder **Unredensartlichkeit.**[82] Im Gespräch mit Botho benutzt ihn Lene das erste Mal, nachdem dieser die folgende Beschreibung von den unter Aristokraten üblichen Konversationsformen gegeben hat:

> **›Aber oft oder wenigstens manchmal und eigentlich ist es ganz gleich, wovon man spricht. Wenn es nicht Morcheln sind, sind es Champignons und wenn es nicht das rote polnische Schloß ist, dann ist es Schlößchen Tegel oder Saatwinkel, oder Valentinswerder. Oder Italien oder Paris, oder die Stadtbahn, oder ob die Panke zugeschüttet werden soll. Es ist alles ganz gleich. Über jedes kann man ja was sagen und ob's einem gefällt oder nicht. Und *ja* ist gerade soviel wie *nein*.‹** (IW, 25/26/26).

Bothos Charakteristik der aristokratischen Umgangsformen ist dekuvrierend. Bereits die Einleitung ist von jenem sachfremden Gefühlsrelativismus getragen, der eine Gesellschaftskaste auszeichnet, die eigentlich nichts zu tun hat und sich mit Nichtigkeiten über den Tag zu retten versucht: **Aber oft oder wenigstens manchmal und eigentlich ist es ganz gleich, wovon man spricht.** Lenes Erwiderung auf solche Umgangsformen ist ebenfalls bezeichnend: ›**Aber**‹, **sagte Lene,** ›**wenn es alles so redensartlich ist, da wundert es mich, daß ihr solche Gesellschaften mitmacht**‹ (IW, 25/27/26).

Der pragmatischen Lene, die täglich durch harte Arbeit für ihren Lebensunterhalt selbst sorgen muss und in einfachsten Verhältnissen lebt, sind solche Lebensformen ganz fremd. Mit feinem Gespür hat sie sofort herausgefunden, dass diese Gesellschaften nichts Nützliches tun und ihre Kommunikation durch das Gezwungene und Gestelzte unwahrhaftig wird. Aus diesem Blickwinkel wird dann auch die unüberbrückbare Differenz zwischen Botho und ihr sichtbar, wenn dieser meint: ›**Und im Klub ist es wirklich reizend, da hören die Redensarten auf und die Wirklichkeiten fangen an. Ich habe gestern Pitt seine Graditzer Rappstute abgenommen.**‹ (IW, 26/27/26). Mit solchen Äußerungen gibt sich Botho als vollwertiges Mitglied einer Gesellschaftsgruppe zu erkennen, die sich ihre Wirklichkeiten selber modelliert und wenig später von der gesellschaftlichen und politischen Realität eingeholt wird, mit zuletzt wenig erfreulichen Auswirkungen für die deutsche Nationalgeschichte, wie man heute weiß.

Das in diesem Kontext verwendete Adjektiv **reizend** kennzeichnet eine weitere demaskierende Sprachfigur der Gesellschaftskreise, aus denen Botho kommt. In den aristokratischen Konversationszirkeln ist dieses Eigenschaftswort eine gern verwendete Floskel, die Affektion ohne wirkliches Interesse ausdrücken soll. Man fühlt sich angesprochen durch etwas, ohne die Verpflichtung zu fühlen, der Angelegenheit weitere Aufmerksamkeit zu schenken. Während Botho selbst und die aristokratischen Kreise, in denen er sich bewegt, diese entleerte Huldigungsformel ständig benutzen, verzichtet Lene auf solch unredensartliches Sprechen vollständig. Insbesondere im Kommunikationsraum um Käthe von Sellenthin fällt der häufige Gebrauch der Floskel auf: So berichtet diese Botho in einem Brief, sie reise mit **einer jungen, sehr reizenden Bankierfrau** (IW, 138/125/133), an anderer Stelle heißt es erneut, **die Mutter aber ist wirklich reizend** (IW, 139/126/134), dann wird **von der reizenden kleinen Sarah** (IW, 140/127/136) gesprochen, die zunächst nur als störend und verzogen empfundene Tochter der Bankiersfrau Salinger, und schließlich revidiert Käthe ihre Einschätzung von Mutter und Tochter, wenn sie feststellt, dass sie jetzt **die**

Kleine reizender als die Mutter (IW, 140/127/136) fände. Der kaum versteckte Erzählerkommentar, dass dieses letzte Urteil von den vorangegangenen **einigermaßen abweichend** (IW, 140/127/136) sei, verdeutlicht mit feiner Ironie, dass dieses Sprachgeplänkel sich vor allem durch eines auszeichnet: durch ermüdende Geschwätzigkeit. Symptomatisch für diese Einschätzung ist auch der vom Erzähler wiedergegebene Kommentar Bothos zu den Reisefloskeln seiner Gemahlin: ›**Reizende, kleine Frau**‹ (IW, 141/128/136).

Das schon erwähnte Leitmotiv der Maske oder Maskierung gewinnt in diesem Kontext eine herausgehobene Stellung: Sprache wird für Botho und seine Standesgenossen zu einem Instrument der Verstellung und Maskierung. Durch einen bestimmten Sprachgebrauch, man denke etwa an die Titulierung der Prostituierten auf Hankels Ablage, versucht man die Normverstöße des eigenen Denkens und Handelns zu bemänteln und zu entschärfen. Dass Lene – und auch die betroffenen ›Damen‹ – als Repräsentantinnen einer auch bildungsmäßig unterprivilegierten Schicht diese Verstellungen nicht verstehen, denaturiert Bildung hier zusätzlich als Herrschaftsinstrument.

Die demgegenüber mitunter fehlerbehaftete Einfachheit der Sprache Lenes hebt sich von dieser floskelhaften Geschwätzigkeit sichtbar ab. **Simplizität ist in ihrem Fall mit einer von Anstößigkeiten freien Rede verbunden,**[83] bemerkt Müller-Seidel hierzu treffend. Die Verstiegenheit Bothos, sein Verhaftetsein in den Denkstrukturen seines Standes dokumentiert sich zuletzt auch darin, dass er zwar Lenes Wahrhaftigkeit und Überlegenheit erkennt, es aber nicht unterlassen kann, ihre sprachlichen Defizite zu kommentieren, wie das Beispiel einer Brieflektüre zeigt: **An zwei, drei Stellen konnt' er sich nicht versagen, ein Strichelchen mit dem silbernen Crayon zu machen, aber nicht aus Schulmeisterei, sondern aus eitel Freude** (IW, 37 f./37/38). Die **eitel Freude**, von der hier die Rede ist, wird man durchaus kritisch zu betrachten haben, denn in das gewiss warmherzige Urteil über die emotionale Authentizität dieses Schreibens mischen sich doch eben jene floskelhaften Überheblichkeiten seines Standesdenkens, die charakteristisch für die Bewusstseinsdeformationen dieser Gesellschaftsgruppe sind: **Wahrhaftig, der Brief ist wie Lene selber, gut, treu, zuverlässig und die Fehler machen ihn nur noch reizender** (IW, 38/37/38). Auch hier ist letzten Endes alles nur noch **reizend**.

Diese letzten Worte sind aus der Erzählperspektive eines personalen Erzählers, also eines Erzählers, der gleichsam durch die Augen der handelnden oder sprechenden Romanfigur sieht, mitgeteilt worden. Eingeleitet wird das 6. Kapitel, aus dem das vorangehende Zitat stammt, allerdings aus einer anderen Erzählperspektive:

Es war die Woche danach, und die Kastanien hatten bereits abgeblüht; auch in der Bellevuestraße. Hier hatte Baron Botho von Rienäcker eine zwischen einem Front- und einem Gartenbalkon gelegene Parterrewohnung inne: Arbeitszimmer, Eßzimmer, Schlafzimmer, die sich sämtlich durch eine geschmackvolle, seine Mittel ziemlich erheblich übersteigende Einrichtung auszeichneten (IW, 34/34/35).

Hier spricht ein auktorialer Erzähler, der im epischen Präteritum von seinem übergeordneten Standpunkt berichtet: Die Kastanien sind abgeblüht, auch in der Straße, in der Botho von Rienäcker eine geschmackvoll eingerichtete Wohnung besitzt, die seine finanziellen Möglichkeiten übersteigt. Durch diesen Kommentar des auktorialen Erzählers wird ein subtiler Hinweis auf Bothos spätere Heirat mit Käthe von Sellenthin gegeben, die ja hauptsächlich dazu dient, die maroden Finanzen des Hauses Rienäcker zu sanieren. Auffällig ist im Kontext der Szene die Stelle, an der ein innerer Monolog Bothos wiedergegeben wird: ›**Arme Lene, was soll werden! Es wär' uns beiden besser gewesen, der Ostermontag wäre diesmal ausgefallen […] Und nun der Onkel! Entweder kommt er wieder als Abgesandter von meiner Mutter oder er hat Pläne für mich aus sich selbst […] Ich will's schon erfahren, trotzdem ich in der Kunst der Intrige gleich nach ihm selber komme**‹ (IW, 38/37/38).

Man hat solche inneren Monologe oder Reden in FONTANES Texten **wörtliche Figurenrede**[84] genannt. Das Besondere an dieser Sprechweise hat Norbert Mecklenburg so charakterisiert:

Figuren werden ›lebendig‹, indem sie sprechen, d. h., indem der Erzähler sie sprechen läßt. Text in Aufführungszeichen, genauer: der Sprechakt der Zitierens, vermittelt, wie ein Photo, einen Anschein des Authentischen, der sich auch über den umgebenden Text ausbreiten kann, so fiktional er sei. So läßt sich der besondere Realitätseffekt, der von Figurenzitaten ausgeht, wie sie für Fontanes Werk charakteristisch sind, darin sehen, daß man durch den Erzählerbericht hindurch die Figur, die doch nur als *erzählte* existiert, gewissermaßen selber sprechen hört.[85]

Mit diesem Beispiel ist die Vielfalt der Erzählperspektiven in diesem Kapitel indessen noch nicht vollständig dargestellt, denn wenig später wird ein Dialog zwischen Botho und seinem Diener wiedergegeben: ›**So, Johann, das wäre getan … Und nun vergiß nicht, die Jalousien herunterzulassen. Und wenn er kommt und nach mir fragt, bis zwölf bin ich in der Kaserne, nach ein bei Hiller und am Abend bei Renz […] Verstanden?**‹. ›**Zu Befehl, Herr Baron**‹ (IW, 38/38/38 f.). Im Gegensatz zu den bisher behandelten Rede- und Erzählhaltungen verhält sich der Erzähler hier neutral, er protokolliert die Rede Bothos, als ob er neben der Figur stehen und dem Vorgang lauschen würde. Gleichzeitig vermittelt dieses Redezitat einen Eindruck von den Pflichten und Aufgaben des Dieners, denn Botho spricht nicht nur aus der Perspektive des betroffenen Junkers, sondern auch mit Blick auf die von seinem Burschen vernachlässigten Pflichten. In diese Rede fließt also gewissermaßen ein indirektes Figurenzitat des Dieners ein. Dieser hatte offenbar zum wiederholten Male vergessen, die Jalousien hochzuziehen und das Licht im Schlafzimmer auszumachen: ›**Und zieh auch die Jalousien zu rechter Zeit wieder auf, daß ich nicht wieder einen Brütofen vorfinde. Und laß die Lampen vorn brennen. Aber nicht in meinem Schlafzimmer; die Mücken sind wie toll in diesem Jahr**‹ (IW, 38/38/39).

FONTANE hat diese Sonderstellung der Erzählerrolle durchaus auch selbst gesehen, wie eine Briefäußerung an den Freund Friedrich Spielhagen belegt: **Das Hineinreden des Schriftstellers ist fast immer von Übel, mindestens überflüssig. Und was überflüssig ist, ist falsch. Allerdings wird es mitunter schwer festzustellen sein, wo das Hineinreden beginnt; der Schriftsteller muß doch auch, als *er*, eine Menge tun und sagen, sonst geht es eben nicht, oder wird Künstelei.**[86] Die Wirkung solchen multiperspektivischen Erzählens, in dem der Erzähler häufig vollständig hinter seine Figuren zurücktritt, liegt vor allem in einem Zugewinn an Authentizität und Realität. Mecklenburg hat hierzu bemerkt: **In demselben Maße, wie Fontanes Romane gesellschaftliche Wirklichkeit wesentlich als sprachliche Wirklichkeit, als soziale Redevielfalt, entwerfen, als Polyphonie einander relativierender Ansichten von Realität, enthalten sie Gesellschaftskritik vornehmlich in Gestalt von Sprach-, Kommunikations- und Bewußtseinskritik.**[87]

Man wird in diesem erzählerischen Prinzip der **Dialogizität**[88] mit Mecklenburg ein zentrales Gestaltungsmittel des poetischen Realismus von FONTANE erkennen können, das durch die schwankende Haltung des Erzählers gekennzeichnet werden kann. Wir finden in seinen Texten **eine Haltung, die auf Kritik, Durchschauen, Distanzierung gerichtet ist**[89], kombiniert mit der gegenläufigen erzählerischen Disposition, die in **Geltenlassen, Hinhören, Identifikation besteht**[90].

4.7 Intertextuelle Spiegelungen

FONTANES Prinzip der epischen Spiegelung findet daneben auch in den zahlreichen intertextuellen Verweisen, die in den Roman eingefügt sind, nachhaltige Berücksichtigung. Aus hermeneutischer und didaktischer Sicht wird man allerdings fragen müssen, welchen Beitrag die Identifikation solcher Bezüge für das Verständnis des Textes liefert. Aus der Fülle der intertextuellen Anspielungen und Verweise sollen daher nur jene Berücksichtigung finden, die in (schulischen) Lehr- und Lernkontexten von Bedeutung sein könnten (Aspekt II und III der Realismusdefinition von Aust, s. S. 22).

Besonders auffällig in diesem Zusammenhang sind – neben den vielen Verweisen auf Goethe-Texte – die zahlreichen Anspielungen auf Schiller-Dramen, die FONTANE seinen Figuren in den Mund gelegt hat. Bettina Plett hat in ihrer Monografie über FONTANES Kunst der Allusion insgesamt vier Schiller-Zitate in *IRRUNGEN, WIRRUNGEN* ausfindig gemacht und ihre Herkunft geklärt.[91] Bedeutsam scheinen von diesen insbesondere die Verweise auf Schillers bürgerliches Trauerspiel *KABALE UND LIEBE*, das mit dem Sujet in *IRRUNGEN, WIRRUNGEN* verwandt ist: In beiden Texten geht es um das Thema der unstandesgemäßen Liebe und der Mesalliance. Anders als bei Schiller zerbricht die Beziehung der Liebenden aber nicht an einer höfischen Intrige, sondern an dem Einfluss der gesellschaftlichen Zwänge, dem sich die Agierenden nicht entziehen können oder wollen. Parallelen ergeben sich auch zu den bürgerlichen Trauerspielen *EMILIA GALOTTI* von Lessing sowie *MARIA MAGDALENE* von Hebbel. Letzteres wird von Lene sogar konkret angesprochen, wenn sie Botho gegenüber bemerkt: ›[…] **Ich bin nicht wie das Mädchen, das an den Ziehbrunnen lief und sich hineinstürzte, weil ihr Liebhaber mit einer anderen tanzte** […]‹ (IW, 104/95/101).

Gerade im Hinblick auf Prüfungsanforderungen sollte man als Unterrichtende/r die mögliche Kombinatorik dieser Sujets in Vergleichs- oder Erörterungsaufgaben bedenken. Die benachbarte Thematik der Fürstenliebschaft in *EMILIA GALOTTI* und die Gegenüberstellung bürgerlicher Tugenden und aristokratischer Untugenden in diesem Drama eröffnet einen weiten Horizont abiturrelevanter Möglichkeiten der Leistungsmessung.

Häufig hingewiesen wurde auch auf die Bezüge der Szene in Hankels Ablage zu Eugéne Sues Sensationsroman *DIE GEHEIMNISSE VON PARIS* aus dem Jahre 1843, in dem ein junges Mädchen die düstere Metropole Paris für einige Zeit verlässt, um die Schönheit und Unberührtheit einer ländlichen Naturlandschaft zu erfahren. Bothos Äußerung, dass angesichts einfallender Touristenhorden man beinahe von einer **Vertreibung aus dem Paradiese** (IW, 82/76/80) sprechen können, spielt auf das 1. Buch Mose der Bibel an und den Sündenfall von Adam und Eva. Die Topik des arkadischen Ortes und des Schäferstündchens wiederum verweist auf die Pastoral-Poesie antiken Vorbilds, die bekanntlich ja auch im Barock und Rokoko lebhaften Widerhall gefunden hat.

Für das Verständnis des Textes bietet hier vor allem die Vertreibungsmetaphorik Anknüpfungsmöglichkeiten. Die Beziehung zwischen Lene und Botho ist von den Liebenden ja stets als ein paradiesischer und traumhafter Ausnahmezustand betrachtet worden. Auch die Örtlichkeiten, an denen sich die Liebenden treffen, werden in Anlehnung an die friedliche Idyllik des paradiesischen Ortes beschrieben. Der Sündenfall wäre dann in Analogie zu den materiellen Zwängen und Verlockungen der Wilhelminischen Klassengesellschaft zu sehen, allerdings mit dem Unterschied, dass es hier der Mann (Botho!) ist, der diesen Verlockungen nicht widerstehen kann und ein vermeintlich bequemes Genussleben dem Kampf um seine Liebe vorzieht.

Ein für das Verständnis der Person Bothos wichtiger intertextueller Hinweis findet sich im 4. Kapitel, wenn Rienäcker die alte Frau Nimptsch auf Adalbert von Chamissos Gedicht von der alten Waschfrau hinweist. Anlass dieses bildungsbürgerlichen Exkurses ist das Erstaunen der alten Frau, dass der Baron gerade den Platz **(h)ier bei 'ner alten Wasch- und Plättefrau** (IW, 21/22/22) wählt. Die literarischen Reflexionen Bothos über Chamissos Gedicht verdeutlichen einmal mehr den inneren Zwiespalt dieser Figur, machen das **Versteckspiel mit dem eigenen Bewußtsein**[92] sichtbar: Rienäcker lebt in dem Widerspruch zwischen der **ideellen Erwartung einer sinnerfüllten Existenz [mit Lene], die den Anspruch von Einfachheit und Natürlichkeit [...] verwirklichen kann, und der gesellschaftlichen Realität, die seine Lebensweise und seine Entscheidung tatsächlich bestimmt.**[93]

Ein anderes, bisher zu wenig beachtetes Zitat aus der *Theodizee* von Leibniz wäre nachzutragen und in seiner Bedeutung für das Verständnis der Figur des Botho von Rienäcker zu würdigen. Nachdem dieser im 6. Kapitel Lenes Brief gelesen und die Perspektivlosigkeit der Beziehung erstmals artikuliert hat, verlässt er das Haus mit der Bemerkung: ›**Wie schön. Es ist doch wohl eine der besten Welten**‹ (IW, 39/38/39). Bei Leibniz heißt es dagegen: **Gäbe es nicht die beste aller möglichen Welten, dann hätte Gott überhaupt keine erschaffen.**[94]

Leibniz' philosophischer Optimismus, der sich in diesem Satz artikuliert, soll die brennende Frage klären, wie ein gerechter und allmächtiger Gott das Übel in der Welt zulassen könne (Unde malum, si deus est?). Im Kontext des Zitatgebrauchs bei Fontane fällt zunächst die zweifelnde Formulierung des **Es ist doch wohl eine der besten Welten** auf. Während es bei Leibniz unter allen möglichen Welten nur diese eine vollkommene, von Gott geschaffene, gibt, scheint Rienäcker von anderen existierenden Welten auszugehen. Die selbst beruhigende Formel des **ist doch wohl** verrät überdies, dass sich Botho, zwar von Selbstzweifeln erfüllt, aber doch willig dem Zweckoptimismus seines Standesdenkens überlässt: Es wird wohl schon so richtig sein. Dies macht zweierlei sichtbar: Erstens die Kraftlosigkeit, den eigenen und gesellschaftlich verordneten Zweckoptimismus kritisch zu hinterfragen, und zweitens den fortgesetzt an seiner Seele weiterfressenden Selbstzweifel, dass es andere Handlungsmöglichkeiten gegeben hätte.

Dass *Fontane* in diesem Handlungskontext seinem Protagonisten ausgerechnet eine ironisch gebrochene Fassung des berühmten Zitats in den

Mund legt, hat überdies noch andere Bezüge. Der Rekurs auf das vermutlich philosophiegeschichtlich bedeutsamste Problem der Aufklärung verweist auf die epochale Selbstermächtigung des menschlichen Bewusstseins, sich bei der Bewältigung seiner Existenz nicht mit unbeweisbaren metaphysischen Erklärungsversuchen philosophischer Autoritäten zufrieden zu geben, sondern deren konkrete Ursachen zu suchen und zu beseitigen. Bothos verfremdetes Bildungszitat zeigt, dass er selbst zwar an den gesellschaftlichen Normen zweifelt, dass er aber nicht das Vermögen besitzt, durch sein Handeln die eigene, unbefriedigende Lebenssituation zu verbessern.

Unterrichtshilfen

1 Didaktische Aspekte

Wie bei allen klassischen Werken deutscher Sprache wird man vor einer Behandlung des Textes im Deutschunterricht fragen müssen, welche epochenübergreifenden Fragestellungen und Problemkonstellationen des gesellschaftlichen Daseins dieses Textes – neben seiner ästhetischen Dimension – exponiert und welche Bezüge zur Lebenswelt der Lernenden hergestellt werden können.[95]

Dass diesem Umgang mit Literatur in der Schule ein utilitaristischer Grundzug innewohnt, wird man nicht bestreiten können. Eine Legitimierung schulischer Lektüre aus rein ästhetischem Blickwinkel heraus wird man im 21. Jahrhundert freilich kaum ernsthaft fordern können. Die Schülerinnen und Schüler werden bei der Auseinandersetzung mit einem klassischen Text immer fragen, welche Bedeutung die in ihm dargestellten Handlungs-, Denk- und Gefühlsparadigmen für ihre gegenwärtige oder zukünftige Lebenswelt haben. Im vorliegenden Fall wird man auf die eingangs schon formulierte Glücksthematik verweisen können, die gerade heute ein zentraler Aspekt in der Lebensgestaltung Jugendlicher ist.

Hilfreich ist in diesem Kontext auch der Hinweis auf die unvermindert lebhafte Rezeptionsgeschichte des Textes. Die Frage, was Generationen von Leserinnen und Lesern an diesem Text fesselt, kann ein erstes Interesse und vielleicht auch Lektüreverständnis anbahnen und als Ausgangspunkt für eine unterrichtliche Auseinandersetzung mit diesem Werk dienen. Für die schulische Lektüre des Textes empfiehlt es sich gerade auch im Hinblick auf Prüfungsaufgaben (der Roman ist in einigen Bundesländern eine bevorzugte Abiturlektüre) für eine didaktische Erarbeitung die hermeneutischen Fragehorizonte in den Blick zu nehmen.

2 Checkliste: Voraussetzungen und Schwierigkeiten bei der Lektüre

Will man Fontane heute in schulischen Kontexten lesen, so empfiehlt es sich, die Lektürekompetenz unserer Schülerschaft kritisch zu prüfen. Die weiter gewachsenen Lektürebarrieren, die sich gerade im Umgang mit klassischer Literatur immer deutlicher zeigen, gilt es verstärkt zu berücksichtigen.[96] Das heißt im konkreten Fall, dass die Lektüre von Fontanes Roman, insbesondere bei schwächeren Lerngruppen, in der Regel vorbereitet sein muss.

- Im Einzelfall bedeutet dies, dass ein besonderes Augenmerk auf den Anmerkungsapparat gerichtet werden muss, denn Fontanes Sprache zeichnet sich gerade durch ihre zahlreichen Anspielungen und verschlüsselten Textverweise aus. Das Vorhandensein eines solchen Anmerkungsapparates und die Kenntnis seiner Existenz bedeutet nämlich längst nicht, dass dieser, wie die Erfahrung zeigt, von den Lernenden auch benutzt wird. Die Lektüre eines schwierigen Textes unter Hinzuziehung des entsprechenden Anmerkungsapparates muss geübt werden. Aus diesem Grund empfiehlt es sich, kürzere Kapitel – oder wichtige Passagen aus ihnen – gemeinsam zu lesen, Verständnisfragen zu einzelnen Kapiteln zu stellen und die immense Bedeutung eines angemessenen Textverständnisses durch exemplarische Textanalysen, in denen auch der Anmerkungsapparat Berücksichtigung findet, immer wieder zu verdeutlichen.

- Die über weite Strecken dialogische Anlage des Textes ermöglicht es überdies, einzelne Szenen des Romans in verteilten Rollen zu lesen oder sogar szenisch aufzuführen. Die stetig gewachsene Bedeutung von Hörmedien im schulischen Kontext erleichtert es schließlich auch, Fragen der angemessenen Rezitation von Texten zum Gegenstand schulischer Arbeit zu machen und das Bewusstsein für ein gutes Lektüreverständnis über die auditive Erfahrung zusätzlich zu unterstützen.
- Ein Abbau der sprachlichen Verständnishürden erscheint daneben auch über eine Schulung der poetischen Schreibkompetenz möglich. Es ist deshalb zu überlegen, ob nicht produktive Schreibaufträge die Lektüre des Textes unterstützen können. Korrespondierend und ergänzend zur analytischen Arbeit an ausgewählten Textpassagen können produktive Schreibaufgaben das Verständnis der hermeneutischen Zusammenhänge vertiefen und ausdifferenzieren. Insbesondere die zahlreichen Briefpassagen des Romans laden zu solch begleitender Schreibtätigkeit ein. Durch entsprechende Aufgabenstellungen lassen sich nicht nur sprachstilistische Fertigkeiten schulen, sondern vor allem auch Lesedefizite wirksam bekämpfen. Eine Verständigung über die Bewertungskriterien solcher poetischen Schreibaufgaben hat zuletzt auch zu einer stärkeren Wahrnehmung ihres didaktischen Potenzials geführt und ihre vermehrte Berücksichtigung in schulischen Kontexten angemahnt.[97]

3 Unterrichtsreihen

Von den unterschiedlichen Lesarten, die man an Fontanes Roman herangetragen hat, sind die Deutungen als **Zeitroman**, der die Mentalitätsgeschichte einer Epoche schreibt, als **psychologischer Roman**, der tief in die subjektive Befindlichkeit seiner Figuren eindringt, als **Entwicklungsroman**, der den Reifungsprozess seiner Protagonisten beschreibt und zuletzt auch als **Frauenroman**[98], der eine Emanzipationsgeschichte erzählt, zu nennen. Als literatur- und gattungsgeschichtliche Klammer dieser spezifischen Lesarten wird man die realistische Darstellungskunst, die in Fontanes später Prosa sichtbar wird, nehmen können. Gleichwohl können die vier genannten Lesarten auch ganz eigenständige Unterrichtsvorhaben konstituieren, die hier in Umrissen vorgestellt werden:

1. Der Zeitroman

Diese Reihenplanung sollte sich auf die Erarbeitung der mentalitätsgeschichtlichen und gesellschaftlichen Hintergründe und ihre Widerspiegelung im poetischen Text konzentrieren. Im Mittelpunkt können die gesellschaftliche Praxis der Mesalliance, die aristokratische Lebensform des Junkertums sowie die durch den ökonomischen Umwälzungsprozess verursachten sozialen Veränderungen stehen, die sich etwa an der Figur des Aufsteigers Gideon Franke studieren lassen. Als ergänzende Lektüren, die problematische Liebesverbindungen in ihrem gesellschaftlichen Umfeld thematisieren, seien genannt: Lessing, *Emilia Galotti* – Schiller, *Kabale und Liebe* – Goethe, *Werther* – Schlink, *Der Vorleser*.

2. Der psychologische Roman
Im Mittelpunkt dieses Unterrichtsvorhabens steht die Analyse der Handlungsmotive und Impulse einzelner Figuren, die im Konfliktraum des Romans eine wichtige Rolle spielen. Zu untersuchen wären hier vor allem die vielen negativen Vorausdeutungen Lenes und Bothos. Besonderes Augenmerk ist außerdem auf die luzide Psychografie einzelner Figuren zu legen, die bisher kaum Beachtung gefunden haben. Als beispielhaft wäre die in grellen Farbtönen gestaltete Figur der Käthe von Sellenthin zu nennen, deren luzide Bewusstseinslandschaft bisher zu wenig in den Blick genommen wurde. Mögliche ergänzende Lektüren sind: Goethe, *Werther* – Schlink, *Der Vorleser* – Uwe Timm, *Am Beispiel meines Bruders*.

3. Der Entwicklungsroman
Bei diesem Unterrichtsvorhaben steht die persönliche Entwicklung der Helden im Vordergrund. Es stellt sich in diesem Kontext die Frage, ob die Protagonisten am Ende des im Roman geschilderten Geschehens etwas aus ihrem Tun gelernt und sich als Persönlichkeit weiterentwickelt haben. Zielpunkte dieser Reihenplanung sind vor allem Bothos Gespräche mit Gideon Franke und Bogislaw von Rexin sowie das rätselhafte Schlusswort des Helden am Ende des Romans. Sinnvolle Ergänzungslektüren sind: Goethe, *Wilhelm Meister* – Thomas Mann, *Der Zauberberg* – Max Frisch, *Homo faber* – Uwe Timm, *Der Schlangenbaum*.

4. Der Frauenroman
Auch in dieser Unterrichtsreihe wird eine Persönlichkeitsentwicklung kritisch betrachtet. Der Fokus der Untersuchung liegt hier freilich nicht auf dem Helden, sondern auf der Heldin. Die Geschichte der Lene Nimptsch kann durchaus als ein Emanzipationsversuch gewertet werden, den maskulinen Herrschaftsdiskurs der Wilhelminischen Gesellschaft zu überwinden. Eine auf diese Lesart abhebende Reihenplanung müsste die Unabhängigkeit und Selbstständigkeit der Protagonistin in ihren Handlungen, ihrem Denken und in ihren Empfindungen herausarbeiten. Korrespondierende und ergänzende Lektürevorschläge sind: Lessing, *Minna von Barnhelm* – Theodor Fontane, *Mathilde Möhring* – Uwe Timm, *Die Entdeckung der Currywurst*.

4 Stundenübersicht

Kernreihe für GK und LK (12 Stunden)

Thema:	Die Schlüsselfunktion der Landpartie nach ›Hankels Ablage‹	**1. Stunde**
Ziel:	Die Schüler/innen sollen über die Auswertung einer Bildvorlage den Bezug zur Schlüsselszene Hankels Ablage herstellen und eine Verlaufsstruktur der Handlung erstellen.	
Thema:	›Die Vertreibung aus dem Paradies‹ – Bothos Bruch mit Lene	**2. Stunde**
Ziel:	Die Schüler/-innen erarbeiten von den Decknamen ausgehend die gesellschaftlichen Hintergründe der Mesalliance-Thematik und die Auswirkungen auf Lene.	
Thema:	Die Mesalliance als Leitmotiv und geheimes Ordnungsprinzip/Die geschichtlichen Hintergründe der Mesalliance und ihre Textsymbolik	**3./4. Stunde**
Ziel:	Die Schüler/-innen rekonstruieren das innere Ordnungsprinzip der Figurenkonstellation über ein Lückenmodell und erkennen den Leitmotivcharakter der Mesalliance-Thematik. Sie erarbeiten historische Quellen zur gesellschaftlichen Problematik der Mesalliance und untersuchen die Textsymbolik.	
Thema:	Spiegelung und Kontrast bei den Figuren- und Handlungsdispositionen	**5./6. Stunde**
Ziel:	Ausgewählte Figurendispositionen werden von den Schülerinnen und Schülern selbstständig erarbeitet. Die Bearbeitung eines Lückentextes verdeutlicht, dass bei den Handlungskonstellationen ebenfalls das epische Prinzip von Spiegelung und Kontrast zum Einsatz kommt.	
Thema:	Liebe und Sexualität in Fontanes *Irrungen, Wirrungen* (?)	
Ziel:	Die Schüler/-innen untersuchen Fontanes Umgang mit der Thematik an ausgewählten Textstellen und exponierten Figuren (Frau Dörr, Königin Isabeau, Hankels Ablage).	**7. Stunde**
Thema:	Lenes authentische Sprache	
Ziel:	Ein Brief Lenes an Botho belegt Lenes authentischen, unverstellten Sprachgebrauch.	**8. Stunde**
Thema:	›Redensartlichkeit‹ als Dekadenz-Symptom	
Ziel:	Über eine Analyse des Sprachgebrauchs enthüllt sich den Schüler/n/-innen die Dekadenz der herrschenden Klasse im Wilhelminischen Obrigkeitsstaat.	**9. Stunde**
Thema:	Die Gegenüberstellung der Figuren Gideon und Botho	
Ziel:	Die Schüler/-innen erarbeiten die Unterschiede zwischen den beiden Figuren anhand eines vergleichenden Charakterprofils.	**10. Stunde**

11. Stunde	**Thema:**	Die Suche nach dem Glück als das zentrale Thema des Romans?
	Ziel:	Ausgehend von einem Zitat Gideon Frankes untersuchen die Schüler/-innen die zentrale Bedeutung von Glücksvorstellungen im Roman.
12. Stunde	**Thema:**	Ist Bothos Bekenntnis zugleich eine Erkenntnis?
	Ziel:	Die Schüler/-innen erörtern, ob Bothos Schlusswort eine positive Bewusstseinsveränderung indiziert (Lesart: Entwicklungsroman).

Vier Addita für den LK

LK-Additum zur 6. Stunde	**Thema:**	Zur Psychologie der Entscheidungsfindung
	Ziel:	Analyse der psychischen Disposition der beiden Protagonisten Lene und Botho, die zur Entscheidungsfindung führt, an exemplarischen Textstellen (Lesart: psychologischer Roman).
LK-Additum zur 7. Stunde	**Thema:**	Ist *Irrungen, Wirrungen* ein Emanzipationsroman?
	Ziel:	Die Schüler/-innen lesen die Entwicklungsgeschichte der Lene Nimptsch als Emanzipationsgeschichte (Lesarten: Frauenroman/Entwicklungsroman).
LK-Additum zur 11. Stunde	**Thema:**	Kernstellenanalyse (Das Gespräch bei Hiller): Die Glücksvorstellungen der Herrschenden
	Ziel:	Die Schüler/-innen analysieren eine Kernstelle des Romans unter besonderer Berücksichtigung der in ihr formulierten Glückskonzepte und ihrer erzählerischen Besonderheiten.

Stunden	**Thema**	**Didaktische Aspekte (Inhalte/Ziele)**
1. (GK/ LK)	Die Schlüsselfunktion der Landpartie nach ›Hankels Ablage‹ (vgl. Kap. 4.4 dieser Arbeit)	1. Einstieg: Bezug eines Bildes zu Fontanes Roman 2. Erarbeitung: Kursorische Lektüre des Textabschnittes und Gliederung

Thema: Was ist realistisch an Fontanes *Irrungen, Wirrungen*?

Ziel: Die Schüler/-innen werden mit den drei Dimensionen der Darstellung von Wirklichkeitserfahrung nach Hugo Aust bekannt gemacht und suchen in der realistischen Darstellungskunst Fontanes nach poetischen Entsprechungen (realistischer Roman).

LK-Additum zur 12. Stunde

5 Unterrichtssequenz

Verwendete Abkürzungen:

A	= alternative Themen- und Aufgabenstellung	Mat.	= Material
		PA	= Partnerarbeit
EA	= Einzelarbeit	PRO	= produktionsorientierte Themen- und Aufgabenstellung
GA	= Gruppenarbeit		
GK	= Grundkurs		
HA	= Hausaufgabe	SV	= Schülervortrag
KRef	= Kurzreferat	SD	= Schülerdiskussion
LI	= Lehrerimpuls	TA	= Tafelanschrieb
LK	= Leistungskurs	UG	= Unterrichtsgespräch

Methodische Realisierung/ Verlauf	Hausaufgabe
1. UG: Schüler/-innen stellen Bezüge zwischen dem Gemälde von Edouard Manet, En bateau (Mat. 1), zu Fontanes Roman her (Hinweise auf Kapitel 3, Treffen in Stralau, sowie Kap. 11–13, ›Hankels Ablage‹; Bildbeschreibung; Vermutung, dass die Szene eine besondere Bedeutung hat). 2. PA: Zur genaueren Bestimmung des Handlungsverlaufes in ›Hankels Ablage‹ lesen die Schüler den Text kursorisch und erstellen eine Gliederung: Bahnfahrt (IW, 61–62), Weg zum Gasthaus (IW, 62–64), Bootsfahrt (IW, 65–67), Lenes Schwächeanfall und Bothos Abendessen mit dem Wirt (IW, 69–73), Lene allein, dann kommt Botho (IW, 75), Liebesnacht (IW, 75 im Absatz), Spaziergang/Frühstück mit Lene (IW, 75–78), Störung durch die Kameraden (IW, 78–80), Vorbereitungen für Diner (IW, 80), Spaziergang (IW, 80–86), Rückfahrt und Gespräch Botho-Lene (IW, 86–87, 14. Kap.).	Untersuchen Sie die seltsame Namensgebung der Offiziere und der ›Damen‹. Welche Bedeutung hat diese?

Stunden	Thema	Didaktische Aspekte (Inhalte/Ziele)
1. (GK/ LK)		3. Auswertung der Ergebnisse 4. Zusammenfassung und Ergebnissicherung: Erkenntnis, dass hier eine Schlüsselszene vorliegt
2. (GK/ LK)	›Die Vertreibung aus dem Paradies‹ – Bothos Bruch mit Lene (vgl. Kap. 3.2 dieser Arbeit)	1. Besprechung der HA, Klärung der Decknamen und ihrer Funktion 2. Erarbeitung: Charakterisieren des Verhaltens der Beteiligten Personen Botho, Lene, der Offiziere und der ›Damen‹ durch Textzitate 3. Auswertung und Ergebnissicherung
3./4. (GK/ LK)	Die Mesalliance als Leitmotiv und geheimes Ordnungsprinzip/Die geschichtlichen Hintergründe der Mesalliance und ihre Textsymbolik (vgl. Kap. 3.2 dieser Arbeit)	1. Untersuchung der Figurenkonstellationen 2. Mesalliance als geheimes Ordnungsprinzip der Figurenkonstellationen, Klärung des Begriffes 3. Textarbeit zum Begriff der Mesalliance 4. Ergebnissicherung und Zusammenfassung

Methodische Realisierung/ Verlauf	Hausaufgabe
3. UG/TA: Schüler halten ihre Ergebnisse an der Tafel fest (eine Zweiergruppe trägt vor und schreibt, die anderen ergänzen und verbessern). 4. SV/UG: Resümee: Gibt es besonders wichtige Ereignisse, die während des Aufenthaltes passieren und die Auswirkungen auf den weiteren Handlungsverlauf haben? (Störung durch die Offiziere, Hinweise auf die bevorstehende Trennung, Schwäche- und Angstanfälle Lenes)	
1. SV: Einbringen der HA: Die Bedeutung der Namen wird mit Hilfe des Anmerkungsapparates geklärt; die Namen der Frauen sind sämtlich auf Mätressen von Adeligen zurückzuführen (Die Namensgebung soll den Vorgang der Prostitution gesellschaftlich verhüllen und vor den betroffenen Frauen beschönigen.). 2. GA in vier Teams: Das Verhalten der Beteiligten wird in einem TA/auf einer OHP-Folie skizziert (TA 1). 3. SV/UG: Botho ordnet sich dem Spiel seiner Kameraden unter, Lene ist von dem Geschehen unangenehm berührt und fühlt sich gedemütigt, die Offiziere amüsieren sich auf Kosten anderer, die ›Damen‹ sehen die Angelegenheit als einträgliches Geschäft (Prostituierte), Bothos Distanz zu Lene wird sichtbar.	PRO: Lene schreibt Botho einen Brief, in dem sie ihre Erlebnisse auf Hankels Ablage versucht zu verarbeiten. A: Untersuchen Sie das Zitat Bothos **Wie die Vertreibung aus dem Paradiese** (IW, 82). Worauf wird angespielt und welche Bedeutung könnte das Zitat im Romankontext haben? (separate Korrektur dieser schriftlichen Aufgaben)
1. EA: Lückenmodell, in dem Namen fehlen, als Arbeitsgrundlage (Mat. 2 mit den ausgetilgten Namen der Offizierskameraden, der ›schwarzen‹ Jette, dem ›alten Grafen‹, Mr. Armstrong, Adalbert von Lichterloh und Fräulein Enke), Schüler/-innen ergänzen die fehlenden Namen im Modell unter Hinzuziehung des Textes und des Anmerkungsapparates. 2. SV/UG: Ergänzen der fehlenden Namen (OHP) und Herausarbeiten des geheimen Ordnungsprinzips der Mesalliance (ggf. Hinweis auf IW, 122/110/118). 3. EA: Ergänzende Lektüre von Mat. 3. Auswertung und Beurteilung der Thesen; finden sich weitere Textbelege für die Mesalliance-Symbolik der ›schrägen‹ und ›linken‹ Positionierung? (z. B. weiße Strähne in Lenes Haar (IW, 122/111/118) oder die Linksführung des Weges, den Lene und Botho im 9. Kapitel entlanggehen). 4. SV: Zusammenfassen der Ergebnisse der Stunde.	In welchen Texten, die Sie kennen, spielt die Mesalliance-Thematik auch eine zentrale Rolle? (Hinweis auf Dramen des Sturm und Drang und der Aufklärung: *Kabale und Liebe*, *Emilia Galotti*)

Stunden	Thema	Didaktische Aspekte (Inhalte/Ziele)
5./6. (GK/ LK)	Spiegelung und Kontrast bei den Figuren- und Handlungsdispositionen (vgl. Kap. 4.2 u. 4.3 dieser Arbeit)	1. Besprechung der Hausaufgabe, Anknüpfen an Ergebnisse der vorangegangenen Stunde und Problematisierung
		2. Methodenreflexion, wie Charakteristiken herzustellen sind
		3. Erarbeitung der Charakteristiken der Hauptpersonen 4. Präsentation der Ergebnisse
		5. Erarbeitung: Personencharakteristiken (Nebenfiguren) 6. Ergänzung, Komplettierung der Ergebnisse
		7. Erarbeitung: Kontrapunkt und Spiegelung
		8. Auswertung der Ergebnisse

LK-Additum (zur 5./6. Std.)

Stunden	Thema	Didaktische Aspekte (Inhalte/Ziele)
2	Zur Psychologie der Entscheidungsfindung (vgl. Kap. 4.2 dieser Arbeit)	1. Einstieg über ein Brainstorming: Was wissen wir über die psychischen Einflüsse auf menschliche Entscheidungen?
		2. Übertragung auf die Entscheidungssituation der Romanhelden
		3. Untersuchung der psychischen Einflüsse auf die Entscheidung Bothos und Lenes Pessimismus

Methodische Realisierung/ Verlauf	Hausaufgabe
1. UG: Netzartige Verbindung der Figuren untereinander durch das geheime Ordnungsprinzip der Mesalliance; Charakteristiken der wichtigsten Figuren. 2. Erörtern verschiedener Vorgehensweisen bei Charakterisierung (mögliche Vorgehensweisen sind: erst die Hauptfiguren, dann die Nebenfiguren oder alle Figuren gleichzeitig in arbeitsteiliger GA, in der Regel entscheiden sich die Schüler/innen für ein geordnetes Vorgehen, also zuerst die Charakteranalyse der beiden Protagonisten Lene und Botho, dann anschließend die wichtiger Nebenfiguren). 3. GA/EA: Erstellen der Charakterprofile von Lene und Botho 4. SV: Ergebnisse werden auf OHP-Folie geschrieben oder als Kärtchen auf eine Wandzeitung oder Magnettafel in der Mitte positioniert (mögliche Ergebnisse: vgl. TA 2). 5. EA/GA: Erarbeitung der Charakterprofile der Nebenfiguren. 6. SV: Nebenfigurencharakteristika werden den Charakterprofilen der Hauptfiguren auf OHP-Folie oder Wandzeitung/Tafel zugeordnet und das Kompositionsprinzip wird genannt (Spiegelung oder Kontrast). 7. SV: Schüler ergänzen die fehlenden Kapitel in Mat. 4 und erläutern die von ihnen getroffenen Zuordnungen (auf Mat. 4 werden die Kapitelzuordnungen 16, 18, 20 (mit Zuordnung zu Kap. 6) und 23 geweißt). 8. UG: Die entsprechenden Kapitelzuordnungen werden vorgenommen und begründet (Endergebnis: Fontane verwendet das Kompositionsprinzip sowohl bei den Figuren- als auch bei den Handlungskonstellationen).	Vergleichen Sie die Zuordnungen der Nebenfiguren zu den Hauptfiguren. Was fällt auf?

Methodische Realisierung/ Verlauf	Hausaufgabe
1. SV/UG: Brainstorming zu psychischen Einflüssen auf menschliche Entscheidungen (z. B. Besonderheiten bei der Partnerwahl, (Größe, Haarfarbe, Stimme usw.), Sicherheitsdenken spielt eine Rolle, monetäre Vorteile, Angst vor Ungewissheit, mangelndes Selbstvertrauen, drohender Verlust von Bindungen und/oder Anerkennung, positive oder negative Stimmungen). 2. UG: Textbasierte Untersuchung möglicher psychischer Einflüsse auf Bothos Entscheidung und Lenes Pessimismus soll dieses Bedingungsfeld präzisieren. 3. GA: Acht Arbeitsgruppen teilen sich den Gesamttext auf und untersuchen die einzelnen Abschnitte auf negative und positive psychische Einflussfaktoren.	Was reizt Botho an Lene? Ist es auch Sexualität?

Stunden	Thema	Didaktische Aspekte (Inhalte/Ziele)
		4. Auswertung der Ergebnisse
7. GK/ LK	Liebe und Sexualität in Fontanes *Irrungen, Wirrungen* (?) (vgl. Kap. 4.1 und 4.2 dieser Arbeit)	1. Einstieg: stummer Impuls: Thema der Stunde wird kommentarlos an die Tafel geschrieben, impulsgebend ist hier besonders die Zeichensetzung: (?) A: Bildbetrachtung A: Besprechung der HA des Additums 1 2. Methodenreflexion: Wie kann das Thema genauer untersucht werden? 3. Erarbeitung: Untersuchung ausgewählter Textstellen oder Figuren 4. Darstellung und Kommentierung der Ergebnisse

LK-Additum (zur 7. Std.)

Stunden	Thema	Didaktische Aspekte (Inhalte/Ziele)
1	Ist *Irrungen, Wirrungen* ein Emanzipationsroman? (vgl. Kap. 4.5 dieser Arbeit)	1. Einstieg in das Thema über ein Zitat 2. Problematisierung dieser Aussage und Methodenreflexion: Spiegelt Lenes Lebensweg Emanzipationsbestrebungen wider?

Methodische Realisierung/ Verlauf	Hausaufgabe
4. SV: Ergebnisse (vgl. Mat. 5, eine Sichtung der psychischen Entscheidungszwänge zeigt, dass Botho unter einem enormen personalen und gesellschaftlichen Druck steht und erklärt seine Entscheidung; ein vergleichbares Bild zeigt sich bei Lene).	
1. UG: Mögliche Schüleräußerungen: Es wird kaum über Sex gesprochen, allenfalls sehr verhüllt, Frau Dörr macht immer komische Bemerkungen, auf ›Hankels Ablage‹ wird das Thema verdeckt durch die Offiziere und ihre Prostituierten angesprochen, Lene und Botho haben gar keinen Sex, die Mesalliance-Thematik läuft untergründig immer mit. A: UG: Schüler/-innen diskutieren über das Bild *Si jeunesse savait*[99] (IW, 80/74/78) und stellen Bezüge zum Roman her (das Bild hängt in Lenes Giebelstube auf ›Hankels Ablage‹). 2. UG: Methodenreflexion: Es können Szenen oder Figuren entweder exemplarisch in EA oder mehrere in GA untersucht werden. 3. Untersuchung ausgewählter Textstellen oder Figuren (EA oder GA, bei GA ggf. ausführlichere Bearbeitung des Themas in einer Doppelstunde). 4. UG: Ergebnispräsentation und Zusammenfassung (zu den frivolen Äußerungen von Frau Dörr vgl. Mat. 6; Sexualität und Liebe werden bei Fontane nur in Andeutungen thematisiert, was auf den rigiden Moralkodex der Wilhelminischen Gesellschaft zurückzuführen ist).	Wie beurteilen Sie die folgende Äußerung des Fontane-Biografen Sebastian Haffner: **Von ihnen allen [den Fontane'schen Frauengestalten] geht, bei aller viktorianischer Dezenz der Darstellung, ein durchdringender erotischer Reiz aus**[100]? – Ergänzend oder alternativ sind auch weitere Text- oder Figurenuntersuchungen möglich.

Methodische Realisierung/ Verlauf	Hausaufgabe
1. Spontane Schüleräußerungen zum Zitat der Feministin Renny Harigan: **Die Frauen sind aufgespießt auf der dreizackigen Gabel von männlich dominierter Familie (und dem Doppelstandard ihrer monogamen bürgerlichen Form), männlich dominierter Religion und der männlichen Kontrolle des Privateigentums. Teilhaberinnen an dieser Macht werden sie nur durch sexuelle Bindung in und außerhalb der Ehe und durch die Aufzucht von Kindern**[101] (Eigentlich hat ja Lene nicht viel zu bestimmen, Gideon Franke ist auch ein religiöser Fanatiker, Lene ist aber auch selbstständig, sie steht offen zu ihren ›Mesalliancen‹). 2. EA/GA: Die Schüler/-innen erstellen anhand des in *Irrungen, Wirrungen* geschilderten Geschehens einen kleinen kursorischen Lebenslauf der Lene Nimptsch, um genauer zu überprüfen, ob es Emanzipationsbestrebungen in ihrem Leben gibt (vgl. Mat. 7).	Welche Eigenschaften Lenes liebt Botho besonders? Suchen Sie entsprechende Textstellen.

Stunden	Thema	Didaktische Aspekte (Inhalte/Ziele)
		3. Kommentierung der Ergebnisse
8. GK/ LK	Lenes authentische Sprache (vgl. Kap. 4.2 und 4.5 dieser Arbeit)	1. Besprechung der Hausaufgabe (ggf. auch der Hausaufgabe des Additum 2) 2. Einstieg über einen Hörbuchausschnitt 3. Spontane Schüleräußerungen 4. Untersuchung des Briefes unter dem Aspekt sprachlicher Authentizität 5. Ergebnissicherung
9. GK/ LK	›Redensartlichkeit‹ als Dekadenz-Symptom (vgl. Kap. 4.6 dieser Arbeit)	1. Besprechung der HA 2. Anknüpfen an die Ergebnisse der HA und Problematisierung der Begriffe ›Redensartlichkeit‹ und ›Unredensartlichkeit‹ 3. Erarbeitung: Analyse einer ausgewählten Textstelle, in der Käthe v. Sellenthin sich äußert, unter dem Aspekt der ›Redensartlichkeit‹

Methodische Realisierung/ Verlauf	Hausaufgabe
3. UG: Kommentierung der Ergebnisse (Lene Nimptsch lässt durchaus emanzipatorische Tendenzen in ihrem Verhalten erkennen, sie kann sich zwar nicht vollkommen aus den gesellschaftlichen Zwängen lösen (Konventionsehe mit Franke), sie bewahrt aber in vielen Dingen ihre Unabhängigkeit und lebt ihre Sexualität zumindest mit Botho aus).	
1. UG: Frauengestalten in *IRRUNGEN, WIRRUNGEN* haben durchaus erotische Züge: so etwa auch Käthe von Sellenthin, Lene, Frau Dörr, die schwarze Jette oder die drei ›Damen‹ von Hankels Ablage. 2. Hörbuchausschnitt: Gert Westphal[102] liest Lenes Brief an Botho (6. Kapitel). 3. UG: Spontane Schüleräußerungen (Lenes Brief ist sehr gefühlvoll, ihre Sprache ist einfach, klar und drückt ihr Innerstes aus, Lenes Brief ist authentisch, sie verstellt sich nicht und berichtet offen, was in ihr vorgeht). 4. EA: Zusammenfassung der Äußerungen, die mehrheitlich die Natürlichkeit der Sprache Lenes hervorheben dürften; nähere Untersuchung dieser sprachlichen Authentizität (Welche sprachlichen Besonderheiten machen Lenes Brief so glaubwürdig und überzeugend?). 5. SV: Es empfiehlt sich, den Brief mit großen Zeilenabständen auf eine OHP-Folie zu drucken, damit die Schüler/-innen ihre Ergebnisse unmittelbar am Text kenntlich machen können. Die Anlage einer synoptischen Tabelle, in der die wichtigsten Befunde eingetragen werden, ist im Hinblick auf die nachfolgende Stunde sinnvoll (vgl. TA 3), digitale Textfassungen des Romans gibt es im Internet[103]. (Lene gibt ein emotionales Protokoll ihres Liebeskummers, der Satzbau ist überwiegend parataktisch, es fallen die vielen emphatischen Ausrufe **Ach** oder **Denke Dir** auf, der Unsagbarkeitstopos [›So was Schönes hab ich all meinen Lebtag nicht gesehen‹], die vielen elliptischen Sätze als Ausdruck unmittelbaren Empfindens, die zahlreichen Konjunktivformen als Ausdruck quälender Ungewissheit).	Botho sagt zu Beginn des 17. Kapitels: **Lene mit ihrer Einfachheit, Wahrheit und Unredensartlichkeit stand ihm öfters vor der Seele** (IW, 117/107/114). Erklären Sie den Zusammenhang mit den Ergebnissen dieser Stunde.
1. SV/UG: ›Unredensartlichkeit‹ meint Sachlichkeit, Authentizität und Einfachheit des Ausdrucks. 2. UG/LI: Kann jemand den Zusammenhang, in dem Bothos Äußerung steht, beschreiben? (Der Anlass für Bothos Melancholie ist die Neigung seiner Frau zur ›Redensartlichkeit‹, was meint zur Geschwätzigkeit, Unnatürlichkeit und Albernheit.). 3. EA: Schüler/-innen wählen eine geeignete Textstelle aus, an der diese sprachlichen Merkmale nachgewiesen werden können (möglich sind der Anfang von Kapitel 16, Kapitel 18 oder die Briefe Käthes in Kapitel 20).	Wie ist Bothos Sprachgebrauch zu beurteilen?

Stunden	Thema	Didaktische Aspekte (Inhalte/Ziele)
		4. Darstellung und Bewertung der Ergebnisse
10. GK/ LK	Die Gegenüberstellung der Figuren Gideon und Botho (vgl. Kap. 4.6 dieser Arbeit)	1. Besprechung der HA 2. Anknüpfen an Ergebnisse der HA, Überleitung zu neuer Fragestellung 3. Erarbeitung: Gegenüberstellung der beiden Figuren anhand eines vergleichenden Charakterprofils 4. Darstellung und Bewertung der Ergebnisse
11. GK/ LK	Die Suche nach dem Glück als das zentrale Thema des Romans? (vgl. Kap. 4.1 dieser Arbeit)	1. Besprechung der HA 2. Methodische Reflexion (Welche Glücksvorstellungen stehen in dem Roman zur Debatte und was verhindert ihre Realisierung?) 3. Formulierung der Glücksvorstellungen Lenes und Bothos in einem ›Wunschbrief‹ und Analyse der Gründe ihres Scheiterns 4. Auswertung der Ergebnisse 5. Problematisierung: Führt Fontane dem Leser alternative Handlungsmodelle vor?

Methodische Realisierung/ Verlauf	Hausaufgabe
4. SV/UG: Ergebnissicherung der exemplarischen Textanalyse der Briefe Käthes (Käthes Handschrift ist ein **undeutliche[s] Gekritzel**, die Briefe beschäftigen sich ausschließlich mit unwichtigen Phänomenen der Außenwelt und lästigen Störungen der Reisebequemlichkeit. Der Satzbau ist differenzierter als bei Lene, aber die Verfasserin kann diesen Vorteil nicht inhaltlich füllen, der nichts sagende Gebrauch des Adjektivs **reizend** ist symptomatisch für die entleerte Formelhaftigkeit dieser Sprache. Die Redensartlichkeit Käthes enthüllt die dekadente, entleerte Lebensform ihres Standes).	
1. SV/UG: Botho zeigt sowohl Merkmale eines ›redensartlichen‹ wie auch ›unredensartlichen‹ Sprachgebrauchs. 2. UG: Gegenüberstellung der Figuren Lene und Käthe legt eine andere Gegenüberstellung nahe (Benennung Gideon Frankes und Begründung der Vergleichsoperation durch die Schüler). 3. PA: Das Gespräch in Kapitel 20 wird als Textgrundlage für ein vergleichendes Charakterprofil festgelegt. 4. SV/SD: Bewertung der Ergebnisse (vgl. zu den möglichen Ergebnissen TA 4. Gideon Franke zeigt, **trotz seines spießbürgerlichen Aufzuges** (IW, 143/129/138), mit seiner Entscheidung, Lene zu heiraten, mehr Mut als Botho vor Jahren gezeigt hat).	Sehen Sie einen Zusammenhang zwischen Gideon Frankes Ausspruch, dass **es viele Wege gibt, die zu Glück führen** (IW, 147), und seinem Aufenthalt in den Vereinigten Staaten?
1. SV/UG: Falls die Schüler/-innen den Zusammenhang zur amerikanischen Unabhängigkeitserklärung nicht herstellen, empfiehlt sich die Projektion des entsprechenden Passus auf OHP-Folie (vorlesen und Bezüge herstellen lassen). 2. UG: Die Schüler/-innen erkennen, dass es in diesem Roman vor allem um individuelle Glücksvorstellungen geht, die an der Gesellschaft und/oder dem eigenen Handlungsvermögen scheitern. 3. PRO/PA: Schüler/-innen formulieren mögliche Glücksvorstellungen Lenes und Bothos in einem kurzen, fiktiven ›Wunschtext‹, anschließend werden die Gründe ihres Scheiterns erörtert. 4. SV/UG: Diskussion der Ergebnisse (Gründe des Scheiterns: Standesunterschied, moralische Normen, finanzielle Zwangslage der Familie Rienäcker, Armut Lenes, mangelnde Bildung Lenes. Es sollte auch kritisch bemerkt werden, dass die Romanfiguren ihre Entscheidungsspielräume nicht nutzen und keinen Versuch wagen, alternative Handlungsmodelle zu erproben). 5. UG: Problematisierung: Fontane diskutiert alternative Handlungsmodelle (etwa bei Bogislaw von Rexin oder Adalbert von Lichterloh).	Wie ist Bothos Schlusswort zu verstehen? Erkennt er selbstkritisch die moralische Überlegenheit Gideons an?

LK-Additum (zur 11. Std.)

Stunden	Thema	Didaktische Aspekte (Inhalte/Ziele)
1–2	Kernstellenanalyse (Das Gespräch bei Hiller): Die Glücksvorstellungen der Herrschenden (vgl. Kap. 4.5 dieser Arbeit)	1. Anknüpfen an vorher Gelerntes: Auch in diesem Textauszug geht es um Glücksvorstellungen, aber um welche? 2. Erarbeitungsphase: Die Glücksvorstellungen des Onkels werden am Textausschnitt herausgearbeitet, die Ergebnisse sollen in einem TA verdeutlicht werden 3. Auswertung und Ergebnissicherung 4. Vertiefung: In welchem Zusammenhang stehen diese Textstellen mit den Äußerungen des Barons von Osten? 5. Ergebnissicherung (narrative Zusammenhänge werden hergestellt)

12. GK/ LK	Ist Bothos Bekenntnis zugleich eine Erkenntnis? (vgl. Kap. 4.2 dieser Arbeit)	1. Kurze Besprechung der HA 2. Methodenreflexion: Problematisierung und Differenzierung der eigenen Wertung durch wissenschaftliche Kommentare 3. Versuch eigene Position durch wissenschaftliche Kommentare zu schärfen, zu revidieren oder zu modifizieren 4. Vorstellung und Erörterung der eigenen Position

LK-Additum (zur 12. Std.)

Stunden	Thema	Didaktische Aspekte (Inhalte/Ziele)
2	Was ist realistisch an Fontanes *Irrungen, Wirrungen*? (vgl. Kap. 4 dieser Arbeit)	1. Besprechung der HA (12. Stunde) 2. Ausdifferenzierung des Begriffsinstrumentariums

Methodische Realisierung/ Verlauf	Hausaufgabe
1. EA: Der Textauszug wird verteilt und die Fragestellung wird von den Schüler/n/-innen selbstständig erarbeitet (ggf. Hörbuchauszug). 2. GA: Die Schüler/-innen erstellen ein Diagramm, in dem die Glücksvorstellungen des Onkels aufgelistet sind. 3. SV: Die Ergebnisse werden als TA oder auf dem OHP dargestellt (siehe TA 5). 4. EA: Lektüre von Mat. 8, Schüler/-innen stellen Zusammenhang her. 5. Zitate aus Mat. 8 werden den Äußerungen des Barons Osten zugeordnet und verdeutlichen das erzählerische Beziehungsnetz dieser Glücksvorstellungen im Kontext der Romanthematik: Die Glückskonzepte des Onkels sind den einzelnen Figuren als untergründig wirkende Bewusstseinssignaturen eingeschrieben (die Passagen für das Textpuzzle stammen aus dem 6. / 14. / 8. / 14. Kapitel).	Wie bewerten Sie diese Glückskonzepte des preußischen Adels? (Hinweis auf Bothos Depressionen während der Ehe)
1. SV: Schüler/-innen äußern verschiedene Thesen zu Bothos Schlusswort in einem Vorgriff, ohne dass diese von der Lehrkraft kommentiert werden. 2. EA: Mat. 9 wird von Schüler/n/-innen bearbeitet. Erkenntnis, dass die unterschiedlichen Positionen das Bild von Botho und Gideon weiter ausdifferenzieren und die eigene Urteilsbildung absichern können. 3. EA: Die einzelnen Positionen der Forscher werden kritisch abgeglichen (Textbelege prüfen). 4. SV/UG: Eigene Position wird in Abgrenzung oder Anlehnung an die Kommentare der Literaturwissenschaftler frei vorgetragen und begründet.	Was versteht man unter einer realistischen Schreibweise in der Literatur?

Methodische Realisierung/ Verlauf	Hausaufgabe
1. SV/UG: Nennen einiger allgemeiner Aspekte realistischen Schreibens (z. B. Schreibweise, die Wirklichkeit genau wiedergibt, die Realität beschreibt). 2. Ausdifferenzierung des eigenen Begriffsinstrumentariums durch Erarbeitung der Analyse von Aust (Mat. 10). Leitfragen: a) EA: Arbeiten Sie die von Aust genannten Dimensionen einer Darstellung von Wirklichkeitserfahrung heraus. b) EA: Überlegen Sie, wie die gewonnenen Kriterien für eine Analyse von Fontanes *IRRUNGEN, WIRRUNGEN* als realistischer Roman fruchtbar gemacht werden können.	

Stunden	Thema	Didaktische Aspekte (Inhalte/Ziele)
		3. Erarbeitung der Definitionen von Aust und ggf. Problematisierung 4. Anwendung der gewonnenen Interpretationskriterien auf den Roman 5. Präsentation der Ergebnisse und Zusammenfassung auf OHP-Folie

6 Produktionsorientierte Arbeitsvorschläge

1. Schreiben Sie einen Brief an Botho aus der Perspektive Lenes nach den Erlebnissen auf Hankels Ablage, in dem Sie ihm mitteilen, warum Sie die Beziehung beenden möchten.
   (Lösungsansatz: In Lenes Brief wird vor allem die Demütigung, die sie durch Botho erlitten hat, im Mittelpunkt stehen. Dabei gilt es, kontextsensitiv vorzugehen, denn Lene hatte ja zuerst auf der Rückfahrt erklärt, dass niemand an dieser Entwicklung schuld sei. Zu thematisieren wäre auch Bothos Schwäche, sich nicht zu der Beziehung zu bekennen, und sein maskenhaftes Agieren unter den Augen der Offizierskameraden. Besonderheiten des Sprachstils von Lene wären ebenfalls zu berücksichtigen; Stichwort Authentizität der Sprache).
2. Schreiben Sie einen Brief an Lene aus der Perspektive Bothos nach den Erlebnissen auf Hankels Ablage, in dem Sie ihr mitteilen, warum Sie die Beziehung beenden möchten.
   (Lösungsansatz: Botho wird in seinem Brief als Mensch feiner Manieren sein Versagen eingestehen und auf die gesellschaftlichen Zwänge verweisen, denen er sich – auch um Lene nicht noch weiter zu demütigen – unterwerfen muss. Er kann durchaus auch selbstkritisch auf seine begrenzten beruflichen Fähigkeiten und die Dekadenz seines Standes verweisen. In seinem Sprachstil – was schwierig erscheint – müsste die Mitte zwischen Formelhaftigkeit und klassenübergreifender menschlicher Sensibilität getroffen werden. (Anbindung an die 7. Stunde)
3. Lene handelt wie eine emanzipierte Frau des 21. Jahrhunderts. Sie macht ihrem antriebsschwachen Geliebten klar, dass er nur mit ihr glücklich werden kann und dass eine Trennung die schlechteste Lösung für sie beide wäre.

Methodische Realisierung/ Verlauf	Hausaufgabe
3. SV/UG: Schüler/-innen erläutern die drei realistischen Darstellungsformen nach Aust. 4. Arbeitsteilige GA (die unterschiedlichen Aspekte erlauben die Bildung von drei und mehr Gruppen, die Schüler/-innen werden hier selbst eine Auswahl treffen können; aus Gründen der Übersichtlichkeit sollten aber nicht mehr als fünf Gruppen gebildet werden): Beispiele für die entsprechenden Dimensionen des Realistischen werden in Fontanes *Irrungen, Wirrungen* herausgearbeitet. 5. UG: Ergebnisse (mögliches Lösungsbeispiel vgl. TA 6, die von Aust genannten Kriterien erweisen sich als sehr brauchbar für eine Analyse der realistischen Schreibweise in Fontanes *Irrungen, Wirrungen*).	

Entwerfen Sie anstelle Lenes einen Plan, wie diese Verbindung gesellschaftlich und finanziell abgesichert werden kann.
(Lösungsansatz: Eine äußerst reizvolle Aufgabenstellung, die viel Kreativität, aber auch gute Textkenntnis erfordert. Lene wird jene wenigen Möglichkeiten ihres Geliebten aufzugreifen haben, die dem Unternehmen eine Chance eröffnen (Gibt es diese? Was kann Botho eigentlich? Wie wäre es mit einer schriftstellerischen oder journalistischen Tätigkeit?). Mit Bothos Kapital könnte sie sich vielleicht auch als Schneiderin (Modedesignerin) selbstständig machen. Ihr Lebensplan muss vor allem die Ängste ihres Mannes berücksichtigen, der sich vor gesellschaftlicher und familiärer Ächtung fürchtet. Daneben muss seine Motivation, diese Beziehung zu legalisieren, gestärkt werden.)

4. Schreiben Sie eine Rezension zu *Irrungen, Wirrungen*, in der Sie vor allem die Aktualität der von Fontane in diesem Roman behandelten gesellschaftlichen und individuellen Probleme hervorheben und auch die gelungene ästhetische Komposition des Textes loben, damit dieses Buch möglichst viele Leser/-innen gewinnt.
(Lösungsansatz: Die Aufgabe bezieht sich auf zentrale Ergebnisse der Unterrichtsreihe: individueller Glücksanspruch, Gesellschaftskritik Fontanes, psychologische Tiefendimension der Figurenzeichnung, Emanzipationsgeschichte, Dokumentation eines gesellschaftlichen Umbruchs. Daneben wären Besonderheiten der epischen Komposition zu erwähnen: Leitmotive, Spiegelung und Kontrastierung, intertextuelle Verweise, zeit- und mentalitätsgeschichtliche Bezüge, System von Vorausdeutungen, ansprechende Figurenzeichnungen.)

7 Klausurvorschläge/Referate/Projekte

Klausurvorschlag für den Grundkurs

1. Vergleichen Sie die beiden Textauszüge des 1. Kapitels (**An dem Schnittpunkte [...] Obstbäume genügen lassen,** IW, 3) und des 16. Kapitels (**In der damals noch einreihigen Landgrafenstraße [...] das junge Paar und Serge, der als einziger Gast geladen war,** IW, 111) miteinander. Berücksichtigen Sie bei Ihrer Analyse auch Besonderheiten des Romanaufbaus und des Erzählkontextes.
   (Lösungsansatz: Bei dieser intratextuellen Vergleichsaufgabe ist auf Kontrastierung und Spiegelung der Szenen einzugehen: beide exponieren Erzählstränge, die erste die Liebesgeschichte, die zweite Bothos Ehegeschichte, beide beschreiben Lebensorte. Schon die Schilderungen der Örtlichkeiten könnten gegensätzlicher nicht sein: hier ein idyllischer, romantischer Ort, an dem die Liebesgeschichte der beiden anfängt, dort die luxuriöse und standesgemäße Behausung eines Oberschichtpaares. Von besonderer Bedeutung ist, dass diese Stadtwohnung der Rienäckers einen Ausblick auf das ehemalige Liebesdomizil Bothos gewährt, dem damit seit Beginn seiner Ehe die glückliche Vergangenheit quälend vor Augen steht.)

Klausurvorschläge für den Leistungskurs

1. Lesen Sie den nachfolgenden Textauszug von Karl S. Guthke über die Figur der Käthe von Sellenthin und setzen Sie sich mit seinen Thesen auseinander, indem Sie diese bei einer eigenen Textanalyse der Passage im 24. Kapitel (**Sie fuhren unter den jungen Bäumen hin** [...], IW, 169, bis zum Ende des Kapitels **Und darauf kommt es mir an,** IW, 172) kritisch überprüfen.

Als Parasit *par excellence* teilt sie schon jetzt die Komik ihrer Kreise. In Schlangenbad, dem Roman zufolge einem Kurort für Unfruchtbare, verkehrt sie, froh, daß man unter sich ist, mit adeligem Strandgut von ausgesucht komischer Unbedarftheit, Lebensunfähigkeit und Dünkelhaftigkeit. Und Käthe selbst ist wenig besser. Die Fontane-Forschung ist in den letzten Jahren zwar menschenfreundlicher geworden und hat sich mit wunderlicher Redlichkeit bemüht, unter Käthes infantiler Oberflächlichkeit statt ›der Puppe‹ etwas Personhaftes zu entdecken [...] Käthe also, die altkluge Großmeisterin im ›Dalbern‹, die Bonbons und Erbsünde in ursächlichen Zusammenhang zu bringen versteht, Käthe ist unwiderruflich der Komik überliefert. Ihre seelischen Reaktionen rangieren über das ganze Spektrum von ›komisch‹ über ›zu komisch‹ bis hin ›zum Totlachen‹. Vielleicht hat sie damit sogar ein bißchen recht: in Bezug auf ihre und Bothos Geldneigungsehe nämlich – zum Totlachen auch sie?

(aus: Karl S. Guthke: Gideon ist nicht besser als Botho. Gesellschaftlicher Wandel in Fontanes IRRUNGEN, WIRRUNGEN, in: Jürgen Barkhoff u. a. (Hrsg.): Das schwierige neunzehnte Jahrhundert. Germanistische Tagung zum 65. Geburtstag von Eda Sagarra im August 1998. Tübingen 2000, S. 287–299, S. 295 f.)

(Lösungsansatz: Die Erörterungsaufgabe im Anschluss an eine fachspezifische Textvorlage fordert zunächst das präzise Herausarbeiten der markanten Thesen Guthkes, der in Käthe eine dekadente und dämliche Sozialschmarotzerin sieht, die als komische Exponentin einer untergehenden Herrschaftsklasse in Erscheinung tritt. Guthkes überzogene Deutung blendet allerdings die durchaus vorhandenen – insofern ist der Fontane-Forschung Recht zu geben – sensiblen Reflexionsansätze der jungen Frau aus, die keineswegs so dümmlich ist, wie sie Guthke vorstellt. Käthe hat offenbar längst herausgefunden, dass ihr Mann von einer früheren Beziehung nicht loskommt, und sie hat auch erkannt, dass dies mit ihrer eigenen Person zu tun hat. Die entsprechenden Andeutungen im Text sind von den Schüler/n/-innen herauszuarbeiten und einfühlsam zu kommentieren, das zu rigide Urteil Guthkes zu relativieren und auszudifferenzieren.)

2. Vergleichen Sie die beiden Textauszüge des 7. Kapitels (**Botho sah den Onkel verlegen an […] ›Einen Heidsieck. Beste Marke‹**, IW, 46 f.) und des 20. Kapitels (**Franke verbeugte sich und erwiderte […] ›Und das war es, was uns trennte‹**, IW, 143 ff.). Berücksichtigen Sie bei Ihrer Analyse auch Besonderheiten des Romanaufbaus und des Erzählkontextes.
(Lösungsansatz: Die zweite intratextuelle Vergleichsaufgabe geht erneut auf das epische Kompositionsprinzip der Spiegelung und Kontrastierung Fontanes ein. In beiden Szenen geht es um eine Eheschließung: in der ersten um die zwischen Botho und Käthe von Sellenthin, in der zweiten um die zwischen Gideon und Lene. Während im ersten Fall die Braut wie ein Zirkuspferd taxiert und der finanzielle Nutzen der Heirat in den Vordergrund geschoben wird, unterhalten sich Gideon und Botho sachlich über die Situation Lenes und versuchen die belastende Vorgeschichte aufzuarbeiten. Ohne Komik und ironische Seitenhiebe geht es bei Fontane freilich in beiden Fällen nicht ab: Während der cholerische, an Kongestionen leidende Onkel seine Erhitzung durch Eiswasser aus dem Sektkübel lindert und in extrem chauvinistischer Manie über die Verheiratung ostelbischer ›Frölens‹ wie über die Zuführung von Zuchtstuten schwadroniert, steigert sich der spießbürgerlich auftretende Sektierer Gideon Franke, der eine Art Leumundszeugnis von Botho erbittet (wozu eigentlich?), nachdem er seine Einschätzungen bestätigt gefunden hat, in eine Erweckungspredigt nach amerikanischem Vorbild.)

Referate/Projekte

1. Vergleichen Sie die ›Irrungen und Wirrungen‹ des Liebespaares Lene und Botho mit den ›Irrungen und Wirrungen‹ eines anderen weltbekannten Paares, das auf dem nachfolgenden Foto gezeigt wird (Referat oder Projekt).
(Lösungsansatz: Die Liebesgeschichte von Prinz Charles und Camilla Parker-Bowles weist eine Fülle von Parallelen und Gemeinsamkeiten zu der fiktiven Liebesgeschichte von Lene und Botho auf. In beiden Fällen hat man es mit Verbindungen zu tun, die gesellschaftlich als inakzeptabel eingestuft wurden (eine Bürgerliche und ein Adeliger). Von besonderer Brisanz ist,

picture-alliance/dpa/dpaweb

dass Prinz Charles in der Realität mehr Mut als sein fiktiver Gegenspieler Botho bewiesen hat, der es nicht fertig bringt, seine – ›fast unbescholtene‹ bürgerliche Geliebte zu heiraten, während der britische Thronfolger es immerhin gewagt hat, eine außereheliche Liebesbeziehung, die etwa 30 Jahre andauert, zu legalisieren. Oder, wie ein britischer Adelsexperte über Camilla Parker-Bowles bemerkt: **Sie [ist] in der tausendjährigen Geschichte der britischen Monarchie die erste Mätresse, die es fertig gebracht hat, vom künftigen König geheiratet zu werden.**)
Das Projekt wird von Schüler/n/-innen sehr gern angenommen. Es stellt ganz überraschende Verbindungslinien zu dem klassischen Text von Fontane her und ermöglicht die erneute, anregende Erörterung zentraler Themen des Romans aus dem Blickwinkel der unmittelbaren, für viele Schüler/-innen faszinierenden Gegenwart.

2. Untersuchen Sie den inneren Bezug der Thematik von *Irrungen, Wirrungen* zu den etwa zur gleichen Zeit von Fontane verfassten Romanen *Cécile* und *Stine* (Referat oder Projekt).
(Lösungsansatz: Der Zusammenhang zwischen den drei Romanen kann durch vergleichende Lektüre hergestellt werden. Die beiden anderen Romane können durch Kurzreferate vorgestellt, Gemeinsamkeiten und Unterschiede der in den Texten bearbeiteten Mesalliance-Thematik können durch Tabellen, Tafelbilder oder ähnliche Präsentationen sichtbar gemacht werden.)

3. Untersuchen Sie die geheimen Bezüge von *Irrungen, Wirrungen*, *Stine* und *Cécile* zu Fontanes Privatleben.
(Lösungsansatz: Eine zugegebenermaßen etwas reißerische Themenformulierung, die aber erfahrungsgemäß viele Interessenten/innen anlockt und eine wichtige, oftmals unbeachtete Facette des Romankontextes enthüllt. Den Schüler/n/-innen wird der Aufsatz von Bernd W. Seiler über ›Fontanes uneheliche Kinder und die Spuren in seinem Werk‹, s. Lit.verz. zwecks Lektüre überlassen.)

8 Tafelbilder

TA 1: Charakterisierung der Akteure auf ›Hankels Ablage‹ durch Zitate

Botho	Lene
– **Botho sah, welche Parole heute galt** (IW, 85/78/83) – **es gebot sich, gute Miene zum bösen Spiel zu machen** (IW, 85/78/83) – **es sei reizend gewesen, berichtet er** (IW, 85/78/83)	– **Die Kleine, die durchaus nicht klein war, war Lene. Sie gehorchte** (IW, 90/83/87) – **Lene, die wohl merkte, daß es sich um Balafré handelte, tat ein paar Fragen** (IW, 90/83/87) – **Lene sah vor sich hin und schwieg** (IW, 91/84/88) – **Lene sagte kein Wort. »Jott, Kind, Sie verfärben sich ja; Sie sind wohl am Ende mit *hier* dabei«** (IW, 91/84/88)
Offizierskameraden	**›Damen‹**
– **Alle drei Herren verneigten sich artig, ja dem Anschein sogar respektvoll** (IW, 85/78/83) – **Die Herren [...] amüsierten sich ersichtlich über die Dezidiertheit der Königinnenmutter** (IW, 86/79/84) – **Ironischer Beifall antwortete** (IW, 86/79/84) – **Aber muß denn alles aus der »Jungfrau« sein** (IW, 86/80/84) – **»Sie haben sich alle nichts vorzuwerfen, und einer ist wie der andere«** (IW, 91/84/88)	– **die beiden Töchter Thibaut d'Arcs [machten] einen überaus kurzen Knicks** (IW, 85/78/83) – **Johanna war die größere von den beiden [...] Serge hielt darauf [...] Man hätte sie für eine Dame halten können** (IW, 89/82/86) – **»Sie glauben gar nicht, was jetzt alles so mitläuft«** (IW, 90/83/88) – **»Dumm ist sie nicht; sie hat's bloß noch nich weg«** (IW, 92/84/89)

TA 2: Haupt- und Nebenfiguren

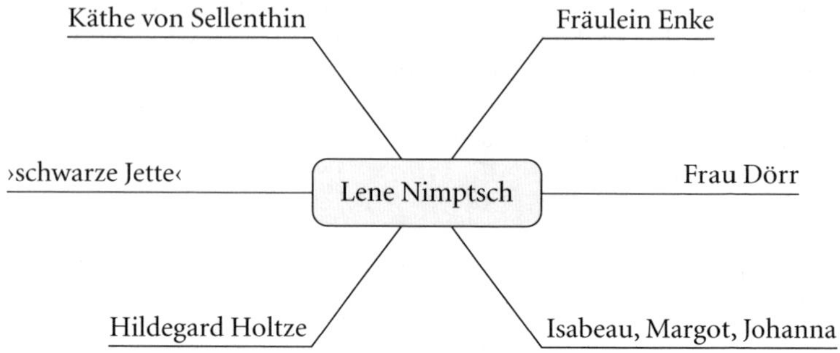

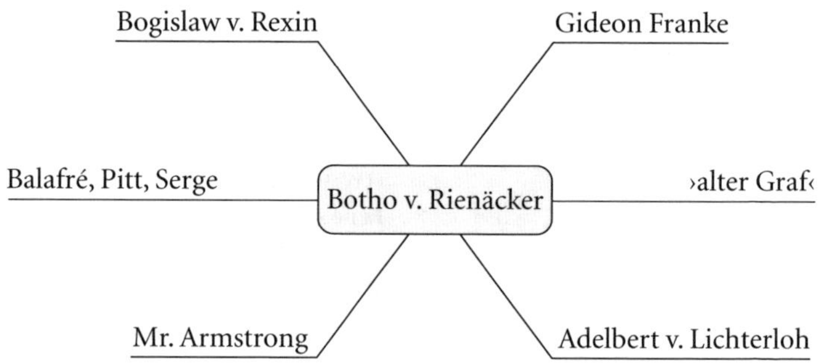

TA 3: Lenes und Käthes Sprachgebrauch im Vergleich

Lenes ›Unredensartlichkeit‹	Käthe ›Redensartlichkeit‹
– kalligrafische Handschrift	– undeutliches Gekritzel
– Emotionalität	– Unterkühltheit
– einfacher Satzbau, aber ausdrucksstarke Sprache mit vielen Interjektionen, kolloquialen Wendungen, Ellipsen, Konjunktiven	– differenzierter Satzbau, aber nichts sagender Plauderton, der sich mit den Banalitäten des Alltags auseinander setzt
– lebendige Wortwahl, die unmittelbares Empfinden wiedergibt	– formelhafte Wendungen wie ›reizend‹, die letztlich Interesselosigkeit ausdrücken
– Zuwendung zum Adressaten	– Distanz zum Adressaten

TA 4: Gideon und Botho im Vergleich (Kapitel 20)

Gideon	Botho
– **ein Herr [...] ein Mann** (?)	– ein Herr
– **ein ordentlicher und gebildeter Mann, von nicht gerade feinen, aber sehr anständigen Manieren** (IW, 123/112/119)	– von einer **chevaleresken Artigkeit**
– handelt rücksichtsvoll gegen Botho, da er seine ›Strohwitwertage‹ abwartet	– **›Rienäcker ist schwach und bestimmbar und von einer seltenen Weichheit und Herzensgüte‹**, sagt von Wedell im 8. Kapitel (IW, 52/50/52)
– Gideon setzt sich über eben diese Ansprüche (Moralvorstellungen) hinweg	– Botho erklärt die Trennung von Lene mit dem **Ernst und den Ansprüchen des Lebens**
– spricht zu Botho in **einem immer predigerhafter werdenden Tone**	

TA 5: Die Glücksvorstellungen des Onkels (Baron Osten)

Glücksvorstellungen des Barons Osten (Bothos Eheschließung mit Käthe)

- Hübsche, lebendige Frau, die nicht intelligent sein muss
- Zukünftige Frau muss aus standesgemäßer Familie sein
- Heirat muss finanzielle Vorteile für die Familie erbringen
- Heirat folgt den Absprachen der Eltern

TA 6: Dimensionen des Realistischen in Fontanes *Irrungen, Wirrungen*

Kriterien von Aust	Fontanes poetische ›Realisation‹
– Alltagswissen	– Frau Dörrs Erfahrungen
– Funktionsstörungen der Wirklichkeit	– Das Problem des Bogislaw von Rexin
– Neue Handlungsentwürfe	– Bogislaw von Rexins Plan, die Heiratsanzeige des Adalbert von Lichterloh, Lenes Ehe mit Gideon Franke (?)
– Geglaubte Welt	– Käthes naive Weltsicht, Frau Dörrs kaufmännische Sicht der Dinge
– Prüfung der geglaubten Welt	– Bothos Ernüchterung nach der Heirat
– Neue Sicht auf die geglaubte Welt	– Bothos Selbstkritik und das Eingeständnis seiner Schwäche (?)
– Ikonische Darstellungsweise	– Briefe Lenes und Käthes
– Indexikalische Darstellungsweise	– Bothos Wohnung, Frankes Kleidung
– Symbolische Darstellungsweise	– ›links‹- und ›schräg‹-Positionierungen im Erzählkontext der Liebesbeziehung, Symbolik des Abschiednehmens

Edouard Manet: En bateau (1874)

Material 1

(Artothek, Weilheim)

Das Netz der Mesalliancen im Roman

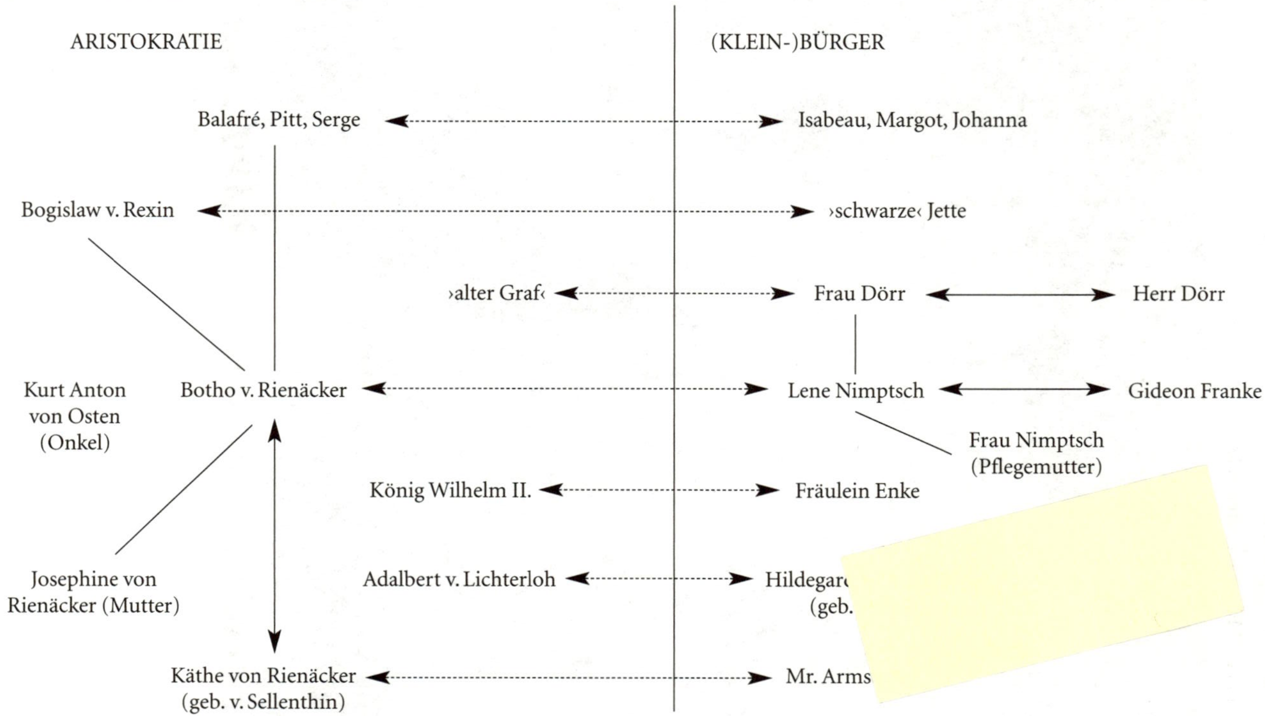

In der zeitgenössischen Rezeption des Romans stellt sich die Geschichte der Mesalliance, eigentlich einer verhinderten Mesalliance, die Fontane selbst lieber ›**eine Berliner Alltagsgeschichte**‹ nennt, als eine Unsittlichkeitsgeschichte dar, die man um der öffentlichen Moral willen nicht ohne weiteres hinzunehmen bereit war. Bereits am Anfang der Wirkungs- und Rezeptionsgeschichte erregt der Roman den Vorwurf der Unsittlichkeit und des Erotischen [...]
Ich werde das Ziel verfolgen, mich anhand der Interpretation einiger zentrale ›Finessen‹ [das sind erzählerische Kunstgriffe Fontanes], darunter vor allem der Assoziationen, die sich an die Vorstellung von ›links‹ und ›schräg‹ knüpfen, mit den Anspielungen auf die preußische ›Ehe zur linken Hand‹ in *IRRUNGEN, WIRRUNGEN* auseinander zu setzen. Fontanes Roman liegt ein kompliziert gewebtes Textspiel zugrunde, das [...] eine tief greifende Sozialkritik an der preußischen Ständegesellschaft enthält, da diese Gesellschaft Grenzen zwischen den Ständen und Geschlechtern zementiert, statt sie zu überschreiten. So wurden etwa im Zeichen der preußischen traditionsreichen ›Ehe zur linken Hand‹* Frauen aus den unteren Schichten uno actu [mit einem Zug] in die höheren Stände integriert und zugleich diskriminiert, insofern ihnen eine benachteiligte ›schräge‹ und ›linke‹ Stellung zugeschrieben wurde [...]
Von den vorurteilsbehafteten gesellschaftlichen Normen aus betrachtet, nimmt die unstandesgemäße Liebe zwischen einem Baron und einer armen kleinbürgerlichen Tochter [...] eine ›schräge‹ Position ein: Nach den zeitgenössischen Normenvorstellungen würde eine eheliche Verbindung der beiden als ›Mesalliance‹, eine Heirat entsprechend als ›Missheirat‹ angesehen werden. Ein juristisch legitimer Ausweg wäre, wie in den Kreisen des Hochadels praktiziert, die Schließung einer Ehe ›zur linken Hand‹. Tatsächlich spielt die ›links‹-Metaphorik in Fontanes Roman eine große Rolle: Die Welt des Kleinbürgertums ist durch eine ›linke‹ und ›schräge‹ Position markiert. Stellen wir ein paar Belege zusammen, die die Brücke zur Mesalliance bzw. zur Ehe zur linken Hand schlagen: Die »**von frü bis spät aufstehende Haustür**« der Dörrschen Gärtnerei ist »**hart an der linken Ecke gelegen**«.
Aus dem »**schräg gegenüber**« gelegenen Hinterfenster der Dörrschen Gärtnerei erzählt die Berliner Plätterin Lene beim Plätten Frau Dörr von ihrer Bekanntschaft mit dem adligen Offizier, die bei Gelegenheit einer Wasserfahrt am »**zweiten Ostertag**« gemacht wurde [...]
Nach dem Abendspaziergang in die »**Wiese**« machen Botho und Lene eine »**Landpartie**« nach Hankels Ablage [...] Der Zug hält »**an einem Waldrande [...]**« Der »**schief stehende [...] Wegweiser**« gemahnt wiederum deutlich genug an die von den gesellschaftlichen Normen bestimmte ›Mesalliance‹. Der Wirt in Hankels Ablage empfiehlt Botho und Lene ausdrücklich die »**Giebelstube**«, dessen [sic!] »**Dachschrägung**« auf das Missverhältnis verweist und wieder die Mesalliance symbolisiert [...]
Die endgültige Aufhebung des Ebenbürtigkeitsrechts und aller Bestimmungen über die Ehe zur linken Hand erfolgte erst mit dem so genannten Adelsgesetz vom 23. Juni 1920, und »das letzte Überbleibsel geburtsständischer Differenzierung und Privilegierung verschwand aus dem Eherecht«.

* In einer Ehe zur linken Hand gehören die Kinder erbrechtlich zum Stande der Mutter, die Frau behält ihren Namen.

(aus: Xiaoqiao Wu, »...links muss es sein«. Zur Mesalliance in Fontanes Berliner Roman *IRRUNGEN, WIRRUNGEN*, in: Fontane-Blätter 78/2004, S. 76–93, S. 76 f.)

Material 4

Kontrapunkt und Spiegel der Kapitel im Roman

1. Kapitel: Gärtnerei und Schloss	16. Kapitel: Familie Rienäckers Wohnungsnahme in der Nähe der Gärtnerei
2. Kapitel: Herr und Frau Dörr	
3. Kapitel: Frau Dörr mokiert sich über den komischen Namen Botho	26. Kapitel: Käthe mokiert sich über die komischen Namen Gideon und Nimptsch
4. Kapitel: Besuch Bothos – Konversationsunterricht für Lene (Dresdenfahrt) und Tanzeinlage	16. Kapitel: Konversation während Dresdenfahrt zwischen Käthe und Botho
	17. Kapitel: Käthes Tanzeinlage
5. Kapitel: Spaziergang in Dörrs Gärtnerei	
6. Kapitel: Wohnung BvR, Brief Lenes und des Onkels Kurt Anton	20. Kapitel: Wohnung BvR, Briefe Käthes
7. Kapitel: Onkel Kurts Besuch	20. Gideon Frankes Besuch
8. Kapitel: Die Regimentskameraden	18. Die Regimentskameraden
9. Kapitel: Spaziergang mit Frau Dörr, der Stimmungsumschwung, Lied	21. Kapitel: Fahrt zum Jakobi-Friedhof, Lied
10. Kapitel: Lenes Fragen zu Bothos Freunden – Todesahnungen der Nimptsch und Versprechen BvR	21. Kapitel: BvR löst das Versprechen ein, Kranz am Grab der Frau Nimptsch
11. Kapitel: Planung und Aufbruch zur Landpartie nach Hankels Ablage	
12. Kapitel: Lene geht nach dem Ausflug mit Botho auf ihr Zimmer – Liebesnacht	
13. Kapitel: Störung durch Kameraden – die drei schwatzhaften Offiziersdamen –	26. Kapitel: Käthes Bericht von den Tischgesprächen in Schlangenbad
14. Kapitel: Rückfahrt von der Landpartie – Empfang des mütterlichen Briefes – BvR Entscheidung: »Ordnung ist Ehe«	23. Kapitel: Das Beziehungsproblem des Bogislaw von Rexin
15. Kapitel: Abschiedsbrief BvR und Abschiedsbesuch	

Positive und negative Einflussfaktoren auf Bothos und Lenes Entscheidung

Positive und negative Einflussfaktoren auf Bothos Entscheidung

negative Einflüsse	positive Einflüsse
– finanzielle Einbußen – Verlust gesellschaftlicher Anerkennung – Abkehr von der Familie, Zerwürfnis – Demissionierung beim Militär – ungewisse Zukunft – eigene berufliche Untauglichkeit – Ruin der Familie – Lenes Pessimismus – Lenes Kränkung durch eigenes Verhalten auf ›Hankels Ablage‹ (Vertrauensverlust) – situative Zwänge (dringl. Brief der Mutter) – Käthes Attraktivität – Standesbindung wird durch das Hinkeldey-Kreuz verdeutlicht (situativer Zwang)	– Verwirklichung eigener Glücksvorstellung: Liebe zu Lene, gemeinsames Leben

Positive und negative Einflussfaktoren auf Lenes Haltung

negative Einflüsse	positive Einflüsse
– Bothos Schwäche und Abhängigkeit – die gesellschaftliche Abstempelung – die Warnungen der Dörr – das Schicksal der ›Damen‹ auf ›Hankels Ablage‹ – Bothos Unglück im Falle einer Bindung – die Bildungskluft – die Überlegenheit der Rivalin Käthe – Botho versteckt die Beziehung	– Verwirklichung eigener Glücksvorstellung: Liebe zu Botho, gemeinsames Leben

Die frivolen Äußerungen der Frau Dörr

Ihre körperlichen Vorzüge

– ›Ich war doch so mehr im Vollen un das mögen manche. Ja, soviel is richtig. Aber wenn ich auch sozusagen fester war un mehr im Gewicht fiel un so was hatte, nun ja, ich hatte so was […]‹ (IW, 6/7/8)

– Botho über die Dörr: ›Sie macht eine Figur‹ (IW, 30/30/30)

Ihre Sexualerfahrungen

– ›Und immer die Alten sind so. Und ich sage bloß, liebe Frau Nimptsch, sie können sich so was gar nich denken. Gräßlich war es‹ (IW, 6/ 9/8)

– ›Und wenn ich denn an meinen denke! Nicht zu glauben […] Und war doch auch einer. Und tat auch immer so‹ (IW, 58/55/57)

– ›Mein Graf mit seine fuffzig aufm Puckel, na, der war auch man ganz simpel und bloß immer kreuzfidel un unanständig. Und da reichen keine hundert Mal, daß ich ihm gesagt habe: ›Ne ne‹ Graf, *das* geht nicht, so was verbitt' ich mir‹ (IW, 6/9/8)

Artothek, Weilheim

Ihr Lieblingsthema

– ›Der Strunk ist eigentlich das Beste, da sitzt die Kraft drin. Und die Kraft is immer die Hauptsache‹ (IW, 14/16/15)

– ›und wenn es denn so wuppt [in den Betten]‹ (IW, 55/52/54/)

– ›Sieh doch den Tümpel, wo der Storch steht und kuckt gerade hierher. Na, nach mir sieht er nich. Da könnt' er lange sehn‹ (IW, 55/52/54)

– ›Adebar, du guter, bring mir […] ‹ (IW, 56/53/55)

– ›Jott, das macht immer so viel Spaß, wenn man den einen Stengel in den anderen piekt, bis der Kranz fertig is‹ (IW, 56/53/55)

Ihre Wirkung auf Männer

– Lene über Dörr: ›Denn trotz seiner Sechsundfünfzig oder mehr ist er noch wie vernarrt in seine Frau und bloß weil sie groß ist‹ (IW, 30/30/30)

– Frau Dörr über ihren Mann: ›Ja, Leneken, er wäre soweit ganz gut un auch die Geizerei wäre nich so schlimm[…], wenn er man nich so zärtlich wäre. Du glaubst es nich, immer is er da‹ (IW, 14/17/15 f.)

Lenes Lebenslauf

Material 7

- Pflegekind der Frau Nimptsch, ihre Herkunft ist unbekannt
- Sie arbeitet als Näherin mehrere Stunden am Tag für ihren Lebensunterhalt
- Sie hatte vor Botho schon eine Beziehung mit einem gewissen Kuhlwein
- Sie gibt ihrer Beziehung zu Botho wenig Chancen
- Ihr Hauptmotiv für die Beziehung ist: Sie liebt Botho (sexuelle Anziehung?)
- Sie prostituiert sich nicht mit Männern, wie das etwa die Dörr oder die ›Damen‹ auf ›Hankels Ablage‹ tun, obgleich die gesellschaftlichen Mechanismen hier einen Zwang auf bürgerliche Frauen ausüben
- Sie stellt auch keine Forderungen oder setzt ihren Liebhaber nicht unter Druck (Warum nicht? Schwäche Bothos? Gesellschaftliche Aussichtslosigkeit?)
- Sie handelt entschlossen (Wegzug aus Dörrs Gärtnerei)
- Sie geht eine Konventionsehe mit Gideon Franke ein, den sie wahrscheinlich nicht liebt und der doch wohl eine komische Figur abgibt
- Sie bekennt sich auf der Hochzeit mit Gideon zu ihrer ›vorehelichen Vergangenheit‹, indem Sie keinen Brautkranz trägt

Textstellenpuzzle

Material 8

Aufgabe: Woher stammen diese Textstellen und in welchem Zusammenhang stehen Sie mit den Äußerungen des Onkels (Baron Osten)?

1. Wer war denn die schöne Blondine, mit den zwei Schimmeln, die ganz in einer Blumengirrlande gingen? Und die Blumen so dicht, ganz ohne Blatt und Stiehl. So was Schönes hab ich all mein Lebtag nicht gesehn. Als Kind hätt' ich gedacht, es müss' eine Prinzessin sein, aber jetzt weiß ich, daß Prinzessinnen nicht immer die schönsten sind. Ja, sie war schön und gefiehl Dir, ich sah es wohl, und Du gefiehlst ihr auch. Aber die Mutter, die neben der schönen Blondine saß, der gefiehlst Du noch besser. Und das ärgerte mich. Einer ganz jungen gönne ich Dich, wenn's durchaus sein muß. Aber einer alten! Und nun gar einer Mama? Nein, nein, die hat ihr Teil. Jedenfalls, mein einziger Botho, siehst Du, daß Du mich wieder gut machen und beruhigen mußt. Ich erwarte Dich morgen oder übermorgen.

2. Käthe werde nun zweiundzwanzig, habe den Ton der großen Welt und verfüge mit Hilfe der von ihrer Tante Kielmannsegge herstammenden Erbschaft über ein Vermögen, dessen Zinsbetrag hinter dem Kapitalsbetrag der Rienäckerschen Heide samt Muränensee nicht sehr erheblich zurückbleiben werde.

3. Und das nennen Sie eine scharfe Ecke? Ich bitte Sie, Wedell, Rienäcker steht vor einer viel schärferen: er hat 9000 jährlich und gibt 12000 aus und das ist immer die schärfste aller Ecken, jedenfalls schärfer als die Heiratsecke. Heiraten ist für Rienäcker keine Gefahr, sondern die Rettung. Übrigens hab ich es kommen sehen. Und wer ist es denn?

4. Was ich wünsche, weißt Du. Meine Wünsche sollen aber nicht verbindlich für Dich sein. Handle, wie Dir eigene Klugheit es eingibt, entscheide Dich so oder so, nur handle überhaupt. Ein Rückzug ist ehrenvoller als fernere Hinausschiebung. Säumst Du länger, so verlieren wir nicht nur die Braut, sondern das Sellenthiner Haus überhaupt und, was noch schlimmer, ja das Schlimmste ist, auch die freundlichen und immer hilfsbereiten Gesinnungen des Onkels.

Material 9 **An Bothos Schlusswort scheiden sich die Geister**

Bei Fontane ist mit der Resignation die Einsicht verbunden, daß es mit den tonangebenden Klassen der bestehenden Gesellschaft nicht zum Besten steht – ›Gideon ist besser als Botho‹. Aber auch dieses steht für ihn fest, daß es das ganz große Glück nicht mehr gibt, das für alle gilt – oder doch für eine Klasse im Ganzen. Selbst die einfachen Lebenskreise sind in der Optik unserer Erzählung dieser Bereich möglichen Glücks nicht [...] Der Verzicht auf heldisches Pathos, die Nachsicht gegenüber menschlicher Schwäche – und in allem: die Resignation als Ergebung in das, was kaum noch Lösungen erhoffen läßt, sind Züge einer solchen, an keine Klasse gebundenen Menschlichkeit.

(aus: Walter Müller-Seidel, Theodor Fontane. Soziale Romankunst in Deutschland, S. 266 f., s. Lit.verz.)

Gerade die organisierte Unterbrechung [läßt] die Aussage zu einer Geste erstarren, die von der sich äußernden Subjektivität sich ablöst und verdinglicht im Raum des Schweigens widerhallt. – Eine Parallele dazu ist der Schlußsatz des Romans, dessen Trübung in kürzester Form nochmals das verstellte Wesen des Ganzen verrät. Nicht Weisheit ist diesen Aussagen zueigen, sondern Stummheit, Schweigen sowohl der erkennenden als der wollenden (der moralischen) Stimme.

(aus: Walter Morgenthaler, Bedrängte Positivität. Zu den Romanen von Immermann, Keller, Fontane, S. 86 f., s. Lit.verz)

Bothos selbstironische, komische Selbstbespiegelung steht, so ehrlich sie ist, kaum höher als die dümmlichen Witzeleien der Berliner Offiziere im Klub auf dem bereits rumorenden Vulkan. Diese Witzeleien drehen sich um die eigene parasitäre Untüchtigkeit, die eigene Untauglichkeit in der Leistungsgesellschaft. Das Leistungsprinzip aber macht sich in diesen Jahren der wirtschaftlichen Flaute seit 1873 immer nachdrücklicher geltend; im Roman bringt es nicht nur die Oppenheims, sondern auch die Frankes hoch. Die aristokratischen Offiziere in *Irrungen, Wirrungen* aber macht es zu lächerlichen Anachronismen.
Der Mann mit dem biblischen Namen ist ein wunderlicher Heiliger, so »untadelig« seine »Gesinnung« auch sein mag. Er verfehlt, Müller-Seidel nimmt da kein Blatt vor den Mund, ebenso wie Käthe, »das eigentlich Menschliche«. Aber eben auf komische Weise auch er. Ihm, dem Konventikler, dem keine Sekte abstrus genug war, so daß er sich seine eigene zu gründen genötigt sah, ist es ein leichtes, von seinen technisch-gemeinnützigen Themen wie Kanalisation, Gasanstalten usw. in den feierlichen Ton der Kanzelberedsamkeit zu fallen – und die erspart uns nichts von »Fleisches Schwäche«, »falsch Zeugnis« und diversen »Heilswegen« [...] Aber Gideon ist nicht besser als Botho. Warum käme er sonst zu Botho zu seiner Aussprache über Lenes Vergangenheit? Er muß sich bei Botho über Lene und ihr Bekenntnis vergewissern; er kommt »mit einer Frage« zu ihm: »was es mit der Lene eigentlich sei«. Das kann doch nur bedeuten, daß er seiner Verlobten nicht traut – ganz wie Botho Käthe nicht traut.

(aus: Karl S. Guthke:, Gideon ist nicht besser als Botho, S. 295, s. Lit.verz.)

Erst durch das ironische Selbsturteil Bothos, eine Selbstverurteilung, die durch die pointierte Stelle am Ende und die prägnante und doch so einfache Formulierung ihr

Gewicht erhält, wird ein Gleichgewicht hergestellt zwischen Anerkennung einer Ordnung und Kritik an der Gesellschaft, zwischen menschlicher Schwäche und menschlicher Einsicht. Wir akzeptieren die Resignation dieser Menschen, die am Ende eines Zeitalters stehen und sich selber nicht über die Schwelle wagen, aber die letzte so unaufdringliche und doch so inhaltsschwere Wendung gibt dem Roman das Positive und Versöhnliche [...] So halte ich »Gideon ist besser als Botho« für Fontanes vollkommensten Romanschluß, weil er den ästhetischen und sittlichen Sinn des Lesers befriedigt. In seiner Prägnanz und eindeutigen Wertung sowie der völligen epischen Integration ist er einmalig.

(aus: Charlotte Jolles: Gideon ist besser als Botho, S. 81 f., s. Lit.verz.)

Der Literaturwissenschaftler Hugo Aust über das Realismusproblem bei Fontane **Material 10**

Zusammenfassend ergibt sich für die Werkanalyse folgende Aufgabe. Nach dem Realismus eines Werkes zu fragen bedeutet, die Darstellung von Wirklichkeitserfahrung nach drei Seiten hin zu erkunden: Es gilt, den *gegenständlichen Aspekt von Wirklichkeit* mit dem *prozessualen ihrer Erfahrung* und dem *medialen ihrer Darstellung* im Horizont des jeweiligen Werks (und zwar sowohl werkintern als auch entstehungs- und wirkungsgeschichtlich zu vermitteln und so den je besonderen Inhalt der triadischen Beziehung zu ermessen.

(aus: Hugo Aust, Theodor Fontane. Ein Studienbuch. Tübingen und Basel 1998, S. 17 f.)

Hugo Aust meint mit dem **gegenständlichen Aspekt von Wirklichkeit** das alltägliche Durchschnittswissen, die **Normen, Codes und Werte**, die sich **im Medium der Figuren und Erzählinstanzen** aussprechen, wobei er Wert auf die Feststellung legt, dass der realistische Autor auch **Funktionsstörungen der Wirklichkeit** kritisch in seinen Texten beleuchtet und **Fehlformen** der wahrgenommenen Realität zur Sprache bringt, diese Haltung schließt auch Entwürfe zu einer Verbesserung dieser empfundenen Wirklichkeitsdefizite ein.
Der prozedurale Aspekt realistischer Schreibweise artikuliert sich vor allem in den abgebildeten Bewusstseinswelten von Figuren, in ihrem Glauben von der Beschaffenheit der Welt, wie er sich etwa in der Kindheit (im Spracherwerb) ausbildet. Prozesshaftigkeit ist etwas Dynamisches. Dieser Glauben von Wirklichkeit kann geprüft und angezweifelt werden. **Der ›kritische‹ Realismus kann in diesem Sinn als Prüfverfahren angesehen werden, in dem Gegebenes und Begegnendes im ästhetischen Experiment isoliert, mit anderem kombiniert, in solchen Verwicklungen geprüft und so auf Dauer hin als falsch oder wahr begründet wird.** Dies bedeutet auch, dass der realistische Blick andere Sehweisen auf die Wirklichkeit fördert und hervorbringen will.
Der mediale Aspekt schließlich meint die verschiedenen Darstellungsweisen dessen, was ein Autor für die Wirklichkeit hält. Aust unterscheidet drei Darstellungsformen: Die ikonische Darstellungsweise strebt »**eine Ähnlichkeit zwischen Original und Zeichen** an, d. h. sie sucht Darstellungsformen, in denen das Gemeinte möglichst so abgebildet wird, wie es gesehen, gedacht oder empfunden wird. Die indexikalische Darstellungsweise spielt **in den realistischen Kennzeichnungen von Welten gleichfalls eine große Rolle: Wohnung, Kleidung, Tagesablauf, Sprache erhalten symptomatischen Wert.** Das heißt, die Darstellung solcher Nebensächlichkeiten und Details liefert ein sehr genaues Bild von dem Bewusstsein ihrer Träger und Akteure: Indexikalische Zeichen haben eine hohen Referenzwert, sie sind im wörtlichen

Sinne Inhaltsverzeichnisse von Namen, Sachen, Orten, Wertvorstellungen und Empfindungen, die dem Leser schnell weiter reichende Informationen geben können. Zuletzt nennt Aust die symbolische Darstellungsform, **die den Differenzwert zwischen Original und Bild hervorkehrt, erzeugt den Illusionscharakter der Wirklichkeitsdarstellung.** Ein Symbol, etwa die weiße Friedenstaube, steht für etwas ganz anderes, als es in der Wirklichkeit ist (ein Vogel!). So wird man etwa das symbolische **Schrägstehen** des Wegweisers vor Hankels Ablage, den Lene und Botho passieren, als Hinweis auf das bevorstehende Ende der Beziehung interpretieren können.

(Zitierte Übernahmen aus: Hugo Aust, Theodor Fontane. Ein Studienbuch. Tübingen und Basel 1998, S. 13 f.)

Anhang

Anmerkungen

1 Vgl. Conrad Wandrey: Theodor Fontane. München 1919, S. 213.
2 Vgl. Hugo Aust: Theodor Fontane. Ein Studienbuch. Tübingen und Basel 1998, S. 115.
3 Vgl. Carmen Butta: Porträt – Die handgemachte Frau, in: Die Zeit – Dossier, 2/2002.
4 Christine Hehle im Nachwort zu: Theodor Fontane: *Irrungen, Wirrungen* (hrsg. von Gotthard Erler, editorisch betreut von Christine Hehle). Berlin 1997 (= Große Brandenburger Ausgabe. Das erzählerische Werk. Band 10), S. 199. Im Folgenden zitiert als: GBA10, Seitenzahl; zuvor aber schon wörtlich bei Gerhard Friedrich: Die Frage nach dem Glück in Fontanes *Irrungen, Wirrungen*, in: Der Deutschunterricht 4/1959, S. 76–87, S. 85.
5 Hans-Heinrich Reuter: Fontane. Zweiter Band. Berlin 1995, S. 665.
6 Vgl. Theodor Fontane: *Irrungen, Wirrungen* (hrsg. vom Frederick Betz). Stuttgart 1991, S. 78 f. (= RUB, Erläuterungen und Dokumente 8146)
7 GBA10, S. 228.
8 Franz Mehring: Werkauswahl (hrsg. von Fritz J. Raddatz). Darmstadt/Neuwied 1975, S. 151.
9 Ebd., 154.
10 Reuter, Fontane. Band 2, S. 686.
11 Vgl. ebd., S. 686.
12 Peter de Mendelssohn: S. Fischer und sein Verlag. Frankfurt am Main 1970, S. 517 f.; vgl. auch die Angaben in dem Materialband von Betz, S. 120 f..
13 Vgl. Betz, S. 122.
13a Vgl. etwa Peter Demetz: Theodor Fontane als Unterhaltungsautor, in: Annamaria Rucktäschel, Hans Dichter Zimmermann (Hrsg.): Trivialliteratur. München 1976, S. 190–204.
14 Vgl. Wandrey, Theodor Fontane, S. 211 f.
15 Charlotte Jolles: Theodor Fontane. Stuttgart [4]1993, S. 62 (= Sammlung Metzler 144).
16 Ebd., S. 62.
17 Ebd., S. 63.
18 Walter Müller-Seidel: Theodor Fontane. Soziale Romankunst in Deutschland. Stuttgart [3]1994, S. 253.
19 Walter Hettche: Irrungen, Wirrungen, in: Christian Grawe: Interpretationen. Fontanes Novellen und Romane. Stuttgart 1995, S. 136–156.
20 Hugo Aust: Theodor Fontane. Ein Studienbuch, S. 117.
21 GBA10, S. 202.
22 Norbert Mecklenburg: Theodor Fontane. Romankunst der Vielstimmigkeit. Frankfurt am Main 1998, S. 18.
23 Ebd., S. 18.
24 Ebd., S. 18.
25 Ebd., S. 18.
26 Ebd., S. 21.
27 Xiaoqiao Wu: »links muss es ja sein«. Zur Mesalliance in Fontanes Berliner Roman *Irrungen, Wirrungen*, in: Fontane Blätter 77/2004, S. 76–88.
28 Ebd., S. 77.
29 Christine Hehle: Unterweltsfahrten. Reisen als Erfahrung des Versagens im Erzählwerk Fontanes, In: Theodor Fontane. Am Ende des Jahrhunderts (hg. von Hanna Delf von Wolzogen in Zusammenarbeit mit Helmuth Nürnberger. Bd. 3: Geschichte. Vergessen. Großstadt. Moderne). Würzburg: Königshausen & Neumann 2000, S. 65–76; vgl. ergänzend auch James N. Bade: Botho's Trip to the Cemetery, in: Seminar 37 (2001), S. 129–138.
30 Kurt Sollmann: Fontane, Schüler, Texte, in: Der Deutschunterricht 4/1998, S. 4–15, S. 4.
31 Ebd., S. 4.
32 Die URL lautet: http://www.fontanearchiv.de (Stand: 15. 10. 2005)
33 Hans-Heinrich Reuter: Fontane. Zweiter Band. Berlin 1995, S. 669.
34 Vgl. Georg Lukács: Der alte Fontane, in: Ders.: Die Grablegung des alten Deutschland. Essays zur deutschen Literatur des 19. Jahrhunderts. Ausgewählte Schriften I, Neuwied und Berlin 1967, S. 120–159, S. 131.
35 Ebd., S. 131.
36 Ebd., S. 147.
37 Ebd. S. 155.
38 Müller-Seidel, Theodor Fontane. Soziale Romankunst in Deutschland, S. 256.
39 Vgl. Aust, Theodor Fontane. Ein Studienbuch, S. 113–120.
40 Mecklenburg, Romankunst der Vielstimmigkeit, S. 15 f.
41 Helmuth Nürnberger: Theodor Fontane. Hamburg [22]1997, S. 124 f.
42 Ebd., S. 128.
43 Ebd., S. 134 f.
44 Dichter über ihre Dichtungen: Theodor Fontane (hrsg. von Richard Brinkmann und Waltraut Wiethölter). 2 Bände. München 1973, S. 386.

45 Zitiert nach Heinz Ohff: Theodor Fontane. Leben und Werk. München 1997, S. 137.
46 Vgl. insbesondere Bernd W. Seiler: Fontanes uneheliche Kinder und die Spuren in seinem Werk, in: Wirkendes Wort 48/1998, S. 215–233, S. 220 f.
47 Vgl. Günter Grass: Ein weites Feld. Göttingen [5]1995, S. 104 f.
48 Vgl. die Einschätzung von Seiler, Fontanes uneheliche Kinder, S. 215 f.
49 Peter Wruck: »Viel Freud, viel Leid. Irrungen, Wirrungen. Das alte Lied«, in: Fontane Blätter 38/1985, S. 79–96, S. 90.
50 Zitiert nach Norbert Mecklenburg, Romankunst der Vielstimmigkeit, S. 252.
51 Xiaoqiao Wu, Zur Mesalliance in Fontanes Berliner Roman *Irrungen, Wirrungen*, S. 80.
52 Sollmann, *Irrungen, Wirrungen*, S. 56.
53 Müller-Seidel, Theodor Fontane. Soziale Romankunst in Deutschland, S. 255.
54 Thomas Nipperdey: War die wilhelminische Gesellschaft eine Untertanengesellschaft, in: Ders..: Nachdenken über die deutsche Geschichte. Essays. München 1990, S. 208–224, S. 213 f.
55 Gordon A. Craig: Der Triumph des Borussismus, in: Ders.: Das Ende Preußens. Acht Porträts. München 1989, S. 61–84, S. 71.
56 Theodor Fontane: *Irrungen, Wirrungen*. Stuttgart 1994, S. 99 (= RUB 8971). Als Textgrundlage werden zusätzlich die Ausgaben hinzugezogen: Theodor Fonante: *Irrungen, Wirrungen*. München [7]2004 (= dtv) und Theodor Fontane: *Irrungen, Wirrungen*. Berlin [5]2004 (= AtV). Alle drei Texte werden stets zusammen zitiert in der Form: (IW, Seitenzahl Reclam-Ausgabe / Seitenzahl dtv-Ausgabe / Seitenzahl AtV-Ausgabe).
57 Golo Mann: Deutsche Geschichte des 19. und 20. Jahrhunderts. Frankfurt am Main [18]1985, S. 401.
58 Vgl. vor allem die Einschätzungen von Mecklenburg, Romankunst der Vielstimmigkeit, 116 f. und Aust, Theodor Fontane. Ein Studienbuch, S. 9 f.
59 Aust, Theodor Fontane. Ein Studienbuch, S. 9.
60 Ebd., S. 12.
61 Ebd., S. 12.
62 Mecklenburg, Theodor Fontane. Romankunst der Vielstimmigkeit, S. 13 f.
63 Zitiert nach http://homepages.compuserve.de/frickew/heine/decofind-d.htm, eine englische Fassung der Unabhängigkeitserklärung findet sich unter http://www.law.indiana.edu/uslawdocs/declaration.html (Stand: 3. 11. 2005)
64 Aust, Theodor Fontane. Ein Studienbuch, S. 116.
65 Jost Schillemeit: Theodor Fontane. Geist und Kunst seines Alterswerkes. Zürich 1961, S. 27.
66 Sollmann, Irrungen, Wirrungen, S. 80.
67 Ebd., S. 81.
68 Ebd., S. 81.
69 Alexander Kluge: Das Politische als Intensität alltäglicher Gefühle. Theodor Fontane, in: Ders: Fontane – Kleist – Deutschland – Büchner. Zur Grammatik der Zeit. Berlin 2004, S. 7–19, S. 13.
70 Mecklenburg, Romankunst der Vielstimmigkeit, S. 25.
71 Wandrey, Theodor Fontane, S. 219.
72 Schillemeit, Theodor Fontane. Geist und Kunst seines Alterswerkes, S. 29.
73 Peter Demetz: Formen des Realismus: Theodor Fontane. Frankfurt am Main 1973, S. 105.
74 Sollmann, *Irrungen, Wirrungen*, S. 39.
75 Ebd., S. 47.
76 Ebd., S. 50.
77 Xiaoqiao Wu, »links muss es ja sein«, S. 80.
78 Ebd., S. 78 f.
79 Vgl. die Fakten bei Seiler, Fontanes uneheliche Kinder, S. 220 f.
80 Ingrid Mittenzwei: Die Sprache als Thema. Untersuchungen zu Fontanes Gesellschaftsromanen. Bad Homburg vdH – Berlin – Zürich 1970, S. 98.
81 Schillemeit, Theodor Fontane. Geist und Kunst seines Alterswerkes, S. 30.
82 Vgl. Mittenzwei, Die Sprache als Thema, S. 99.
83 Müller-Seidel, Soziale Romankunst in Deutschland, S. 264.
84 Mecklenburg, Romankunst der Vielstimmigkeit, S. 78.
85 Ebd., S. 78.
86 Theodor Fontane: Der Dichter über sein Werk (hrsg. von Richard Brinkmann). 2 Bände. München 1977, Bd. II S. 456 f.
87 Mecklenburg, Theodor Fontane. Romankunst der Vielstimmigkeit, S. 116.
88 Ebd., S. 59 f.
89 Ebd., S. 61.
90 Ebd., S. 61.
91 Bettina Plett: Die Kunst der Allusion. Formen literarischer Anspielungen in den Romanen Fontanes. Köln und Wien 1986, S. 372 f.
92 Ebd., S. 248.
93 Ebd., S. 248.
94 Gottfried Wilhelm Leibniz: Die Theodizee (übersetzt von Artur Buchenau). Hamburg [2]1968, S. 101.
95 Vgl. dazu auch Begriff des Denkbildes; vgl. Harro Müller-Michaels: Kanon – Denkbilder für das Gespräch zwischen Generationen und Kulturen, in: Mitteilungen des Germanistenverbandes, H. 3 (1996), S. 44–51 sowie Ders.: Denkbilder. Zu Geschichte und didaktischem Nutzen einer literarischen Kategorie, in: Deutschunterricht 3/1996, S. 114–122.
96 Vgl. Reinhard Wilczek: Verstehen unsere

Schüler noch die Klassiker? Über eine schulische Literaturdebatte und ihre beklemmenden Hintergründe, in: Der Deutschunterricht (Seelze), Heft 6/2004, S. 91–94.

97 Vgl. Ulf Abraham: Poetisches Schreiben bewerten – sich über Textqualitäten verständigen, in: Praxis Deutsch Heft 193 (2005), S. 6–15.

98 Mecklenburg, Theodor Fontane. Romankunst der Vielstimmigkeit, S. 264 f.

99 Abgebildet bei Eduard Fuchs: Geschichte der erotischen Kunst. München: Langen 1924, Bd. 2, I, S. 202.

100 Sebastian Haffner: Theodor Fontane, in: Sebastian Haffner / Wolfgang Venohr: Preußische Profile. München ³2001, S. 163–178, S. 174.

101 Renny Harrigan: Müller-Seidel: Theodor Fontane. Soziale Romankunst in Deutschland. Stuttgart 1974, Rez. in New German Critique, H. 9 (1976), S, 184 f., zitiert nach Kurt Sollmann, *Irrungen, Wirrungen*, S. 95.

102 Theodor Fontane: *Irrungen, Wirrungen* (ungekürzt gelesen von Gert Westphal). Aufnahme Südwestfunk Baden-Baden 1989. Polygram GmbH Hamburg 1997.

103 So etwa bei http://gutenberg.spiegel.de/fontane/irrung/irrung.htm (Stand: 15.10.05)

Literaturverzeichnis

Primärliteratur

Taschenbuchausgaben

Theodor Fontane: *IRRUNGEN, WIRRUNGEN*. Stuttgart 2003 (= RUB 8971)

Theodor Fontane: *IRRUNGEN, WIRRUNGEN*. München ^{7}2004 (= dtv 12615)

Theodor Fontane: *IRRUNGEN, WIRRUNGEN*. Berlin ^{5}2004 (= AtV 5263)

Werkausgaben

Theodor Fontane: *IRRUNGEN, WIRRUNGEN*. Das erzählerische Werk. Band 10 (hrsg. von Gotthard Erler, edit. Betreuung Christine Hehle). Berlin 1997 (= Große Brandenburger Ausgabe)

Theodor Fontane: Romane und Erzählungen. *IRRUNGEN, WIRRUNGEN – STINE – QUITT* (hrsg. von Peter Goldammer u. a.). Berlin und Weimar ^{3}1984 (= identisch mit AtV-Ausgabe)

Theodor Fontane: Sämtliche Werke. Romane. Erzählungen. Gedichte. Zweiter Band (hrsg. von W. Keitel). München 1962 (= Hanser Ausgabe)

Dichter über ihre Dichtungen: Theodor Fontane (hrsg. von Richard Brinkmann und Waltraut Wiethölter). 2 Bände. München 1973

Sekundärliteratur

Abraham, Ulf: Poetisches Schreiben bewerten – sich über Textqualitäten verständigen, in: Praxis Deutsch Heft 193 (2005), S. 6–15

Aust, Hugo: Theodor Fontane. Ein Studienbuch. Tübingen und Basel 1998

Bade, James N.: Botho's Trip to the Cemetery, in: Seminar 37 (2001), S. 129–138

Betz, Frederick (Hrsg.): Theodor Fontane: *IRRUNGEN, WIRRUNGEN*. Stuttgart 1991, S. 78 f. (= Erläuterungen und Dokumente 8146)

Butta, Carmen: Porträt – Die handgemachte Frau, in: Die Zeit – Dossier, 2/2002

Gordon A. Craig: Der Triumph des Borussismus, in: G. A. C.: Das Ende Preußens. Acht Porträts. München 1989, S. 61–84

Demetz, Peter: Formen des Realismus: Theodor Fontane. München 1973

Demetz, Peter: Theodor Fontane als Unterhaltungsautor, in Annamaria Rucktäschel, Hans Dieter Zimmermann (Hrsg.): Trivialliteratur. München 1976, S. 190–204

Friedrich, Gerhard: Die Frage nach dem Glück in Fontanes *IRRUNGEN, WIRRUNGEN*, in: Der Deutschunterricht 4/1959, S. 76–87

Fuchs, Eduard: Geschichte der erotischen Kunst. München: Langen 1924, Bd. 2, I

Grass, Günter: Ein weites Feld: Göttingen ^{5}1995

Grawe, Christian: Käthe von Sellenthins ›Irrungen, Wirrungen‹, in: Fontane-Blätter 5, 1/1982, S. 84–100

Guthke, Karl S.: Gideon ist nicht besser als Botho. Gesellschaftlicher Wandel in Fontanes *IRRUNGEN, WIRRUNGEN*, in: Jürgen Barkhoff u. a. (Hrsg.): Das schwierige neunzehnte Jahrhundert. Germanistische Tagung zum 65. Geburtstag von Eda Sagarra im August 1998. Tübingen 2000, S. 287–299

Haffner, Sebastian: Theodor Fontane, in: Sebastian Haffner / Wolfgang

Venohr: Preußische Profile. München [3]2001, S. 163–178
Hehle, Christine: Unterweltsfahrten. Reisen als Erfahrung des Versagens im Erzählwerk Fontanes, in: Theodor Fontane. Am Ende des Jahrhunderts (hg. von Hanna Delf von Wolzogen in Zusammenarbeit mit Helmuth Nürnberger. Bd. 3: Geschichte. Vergessen. Großstadt. Moderne). Würzburg: Königshausen & Neumann 2000, S. 65–76
Hettche, Walter: Irrungen, Wirrungen, in: Christian Grawe: Interpretationen. Fontanes Novellen und Romane. Stuttgart 1995, S. 136–156
Jolles, Charlotte: Theodor Fontane. Stuttgart [4]1993 (= Sammlung Metzler 144)
Jolles, Charlotte: ›Gideon ist besser als Botho‹. Zur Struktur des Erzählschlusses bei Fontane, in: Festschrift für Werner Neuse (hrsg. von H. Lederer und J. Seyppel). Berlin: Die Diagonale 1967, S. 67–93
Killy, Walter: Abschied vom Jahrhundert. Fontane: *Irrungen, Wirrungen*, in: Dies.: Romane des 19. Jahrhunderts. Wirklichkeit und Kunstcharakter. Göttingen 1973, S. 193–211
Konrad, Susanne: Die Unerreichbarkeit von Erfüllung in Theodor Fontanes *Irrungen, Wirrungen* und *L'Adultera*. Frankfurt am Main 1991
Kluge, Alexander: Das Politische als Intensität alltäglicher Gefühle. Theodor Fontane, in: A. K.: Fontane – Kleist – Deutschland – Büchner. Zur Grammatik der Zeit. Berlin 2004, S. 7–19 [1979]
Leibniz, Gottfried Wilhelm: Die Theodizee (übersetzt von Artur Buchenau). Hamburg [2]1968
Lepenies, Wolf: Irrungen und Wirrungen. Schule der Zweideutigkeiten: Theodor Fontanes Wanderungen durch Preußens Widersprüche, in: Süddeutsche Zeitung (18. 1. 2001), Ausgabe Bayern, S. 11
Lukács, Georg: Der alte Fontane, in: Ders.: Die Grablegung des alten Deutschland. Essays zur deutschen Literatur des 19. Jahrhunderts. Ausgewählte Schriften I, Neuwied und Berlin 1967, S. 120–159
Mann, Golo: Deutsche Geschichte des 19. und 20. Jahrhunderts. Frankfurt am Main [18]1985
Mecklenburg, Norbert: Theodor Fontane. Romankunst der Vielstimmigkeit. Frankfurt am Main 1998
Mehring, Franz: Werkauswahl (hrsg. von Fritz J. Raddatz). Darmstadt/Neuwied 1975
Mendelssohn, Peter de: S. Fischer und sein Verlag. Frankfurt am Main 1970
Mittenzwei, Ingrid: Die Sprache als Thema. Untersuchungen zu Fontanes Gesellschaftsromanen. Bad Homburg V. D. H. – Berlin – Zürich 1970
Morgenthaler, Walter: Bedrängte Positivität. Zu den Romanen von Immermann, Keller, Fontane. Bonn 1979
Müller-Michaels, Harro: Kanon – Denkbilder für das Gespräch zwischen Generationen und Kulturen, in: Mitteilungen des Germanistenverbandes, H. 3 (1996), S. 44–51
Müller-Michaels, Harro: Denkbilder. Zu Geschichte und didaktischem Nutzen einer literarischen Kategorie, in: Deutschunterricht 3/1996, S. 114–122
Müller-Seidel, Walter: Theodor Fontane. Soziale Romankunst in Deutschland. Stuttgart [3]1994
Nipperdey, Thomas: War die wilhelminische Gesellschaft eine Untertanengesellschaft?, in: Ders.: Nachdenken über die deutsche Geschichte. Essays. München 1990, S. 208–224
Nürnberger, Helmuth: Theodor Fontane. Hamburg [22]1997

Ohff, Heinz: Theodor Fontane. Leben und Werk. München 1997

Plett, Bettina: Die Kunst der Allusion. Formen literarischer Anspielungen in den Romanen Fontanes. Köln und Wien 1986

Reuter, Hans-Heinrich: Fontane. Zweiter Band (hrsg. von Peter Görlich). Berlin / Bayreuth / Zürich 1995

Schillemeit, Jost: Theodor Fontane. Geist und Kunst seines Alterswerkes. Zürich 1961

Seiler, Bernd W.: Fontanes uneheliche Kinder und die Spuren in seinem Werk, in: Wirkendes Wort 48/1998, S. 215–233

Sollmann, Kurt: Theodor Fontane. *Irrungen, Wirrungen*. Frankfurt am Main [2]1997 (= Grundlagen und Gedanken *Erzählende Literatur*)

Sollmann, Kurt: Fontane, Schüler, Texte, in: Der Deutschunterricht 4/1998, S. 4–15

Tanzer, Harald: Theodor Fontanes *Irrungen, Wirrungen*. Zur Gefühlsstruktur der Liebenden zwischen Authentizität und Sentimentalität, in: Der Deutschunterricht 2/96, S. 40–49

Wandrey, Conrad: Theodor Fontane. München 1919

Wilczek, Reinhard: Verstehen unsere Schüler noch die Klassiker? Über eine schulische Literaturdebatte und ihre beklemmenden Hintergründe, in: Der Deutschunterricht 6/2004, S. 91–94

Winkler, Willi: Effi sprießt. Warum Fontane gefeiert werden muss, besonders in Berlin, in: Süddeutsche Zeitung (10. 1. 1998), S. 13

Wu, Xiaoqiao: »links muss es ja sein«. Zur Mesalliance in Fontanes Berliner Roman *Irrungen, Wirrungen*, in: Fontane Blätter 77/2004, S. 76–88

Wruck, Peter: »Viel Freud, viel Leid. Irrungen, Wirrungen. Das alte Lied«, in: Fontane Blätter 38/1985, S. 79–96

Medien

Hörspiel

Theodor Fontane: *Irrungen, Wirrungen* (ungekürzt gelesen von Gert Westphal). Aufnahme Südwestfunk Baden-Baden 1989. Polygram GmbH Hamburg 1997 (derzeit leicht erhältlich im Handel – Stand: 3. 11. 2005)

Verfilmung

Irrungen, Wirrungen, BRD 1966: SFB, 96 Min., Regie Rudolf Noelte (mit Cordula Trantow), (erhältlich beispielsweise beim FUW – Institut für Film und Bild in Wissenschaft und Unterricht gemeinnützige GmbH, Geiselgasteig, Bavariafilmplatz 3, 82031 Grünwald, http://www.fwu.de – Stand: 3. 11. 2005)

Links

Digitale Textfassung: http://gutenberg.spiegel.de/fontane/irrung/irrung.htm (Stand: 15. 10. 2005)

Sekundärliteratur in Digitalfassungen: http://www.uni-bielefeld.de/lili/personen/seiler/drucke/fontane/witwe.html (Stand: 15. 10. 2005. Aufsatz von Bernd W. Seiler über Fontanes uneheliche Kinder in der ***Zeit***-Fassung und im Original)

Fontane-Archiv: http://www.fontanearchiv.de (Stand: 15. 10. 2005)

Zeittafel zu Leben und Werk

1819 Geburt am 30. Dezember in Neuruppin
1827 Umzug der Familie nach Swinemünde
1832 Besuch des Gymnasiums in Neuruppin
1833 Besuch der Gewerbeschule in Berlin
1836 Beginn der Apothekenlehrzeit
1844 Beginn der Militärzeit, Reise nach England, Aufnahme in den Literarischen Sonntagsverein
1847 Approbation als Apotheker erster Klasse
1848 Barrikadenkämpfe 18. März, im Krankenhaus Bethanien angestellt
1849 Freier Schriftsteller, Korrespondent der ***Dresdner Zeitung***
1850 Eintritt in das ›Literarische Kabinett‹, Heirat
1852 Korrespondent in London
1855 Beginn eines vierjährigen Londonaufenthaltes
1858 Reise nach Schottland
1860 Eintritt in die Redaktion der ***Kreuzzeitung***
1864 Reise nach Schleswig-Holstein und Dänemark
1865 Reise an den Rhein und in die Schweiz
1866 Reise zu den böhmischen und süddeutschen Kriegsschauplätzen
1870 Bruch mit der ***Kreuzzeitung***, Theaterrezensent der ***Vossischen Zeitung***, Festnahme in Domremy, Rückkehr nach Berlin
1871 Reise nach Frankreich
1874 Italienreise
1875 Reise in die Schweiz und nach Oberitalien
1876 Ständiger Sekretär der Akademie der Künste in Berlin, Rücktritt von diesem Posten
1894 Ehrendoktor der Philosophischen Fakultät der Universität Berlin
1898 Am 20. September in Berlin gestorben

Romane und Erzählungen

1878 *Vor dem Sturm*
1879 *Grete Minde*
1880 *L'Adultera*
1881 *Ellernklipp*
1882 *Schach von Wuthenow*
1884 *Graf Petöfy*
1885 *Unterm Birnbaum*
1887 *Cécile* und *Irrungen, Wirrungen*
1890 *Stine* und *Quitt*
1891 *Unwiederbringlich*
1892 *Frau Jenny Treibel*
1894 *Effi Briest*
1895 *Die Poggenpuhls*
1898 *Der Stechlin*
1905 *Mathilde Möhring* (aus dem Nachlass)

Bücher zu den preußischen Feldzügen im 19. Jahrhundert
Journalistische Arbeiten
Wanderungen durch die Mark Brandenburg (1862–1882, 4 Bände)
Balladen: Nordisches, Englisch-Schottisches, Preußisches
Lyrik: Märkische Reime, Gelegenheitsgedichte

Raum für Notizen